El lenguaje de … s

interpretarl … o

> Autora: Helga Hofmann | Fotos: Ulrike Schanz

Indice

El idioma de los gatos

Cómo aprenden a comprendernos los gatos

Los gatos y su mundo de olores

Cómo nos hablan los gatos

Apéndices

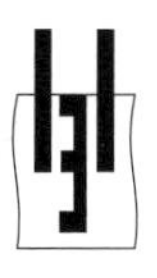

HISPANO EUROPEA

El idioma de los gatos

Diccionario de la lengua gatuna

Los que viven con gatos saben que los mininos no sólo saben decir «miau». Al contrario, cuentan con un repertorio vocal sorprendentemente amplio que va desde los suaves y tiernos sonidos que emite cuando se siente cariñoso hasta fuertes gruñidos y bufidos para marcar su territorio, pasando por penetrantes maullidos de todo tipo. Pero cualquier persona que les preste atención pronto será capaz de comprender su vocabulario.

«¡Hola, querida amiga! ¡Es estupendo que ya hayas vuelto a casa!».

Bilingües

Los gatitos se comunican con su madre mediante un lenguaje vocal muy particular que más tarde es sustituido por el lenguaje normal de los gatos adultos. Por tanto, los gatos dominan dos idiomas distintos. Lo sorprendente es que mientras para comunicarse entre ellos emplean el lenguaje normal de los gatos adultos, para comunicarse con las personas emplean durante toda su vida el lenguaje infantil, o sea, el de los gatitos. Incluso lo enriquecen con nuevas variantes y acepciones que jamás emplean entre ellos. La suma de todo esto hace que los gatos deban dominar un vocabulario bastante amplio.

Variaciones del miau

Cuando los gatitos maúllan lo hacen para llamar a su madre, para indicarle que se han metido en algún aprieto y que necesitan su ayuda. Nuestros gatos domésticos nos consideran a nosotros durante toda su vida como una especie de madre adoptiva. Por tanto, es perfectamente lógico que cuando deseen pedirnos algo se expresen en el lenguaje propio de los gatitos. Pero dado que los gatos tienen una gran capacidad de aprendizaje y de adaptación, son capaces de diferenciar muchos tipos de «miaus».

Para saludar, muchos gatos se limitan a emitir un breve y característico «¡Me!» o sim-

SUGERENCIA

Los «charlatanes» y los callados

- La acusada personalidad de los gatos se manifiesta también en su «parlanchinería». Mientras algunos son capaces de esperar en silencio durante horas ante la puerta esperando que alguien los deje entrar, otros en la misma situación pueden llegar a organizar un griterío capaz de alarmar a todo el vecindario.
- La mayoría de los gatos emiten bufidos como un juego, pero si esa advertencia se la hace un gato que no conozca deberá tomarla muy en serio. Podría lanzarle un zarpazo de un momento a otro.

El gatito se siente tranquilo y feliz cuando está junto a su madre. Pero si ésta está fuera de su alcance visual se siente abandonado e inseguro. Pero sus maullidos hacen que mamá gata regrese rápidamente a su lado.

plemente «¡Ee!». Y ¿qué cuidador de gatos no conoce ese arrastrado «Meeee»? Lo suelen emitir cuando uno está muy concentrado en su trabajo y el gato opina que ya es hora de que alguien juegue con él.

Otros sonidos muy característicos son el lastimero «dame algo de comer», el exigente «¡quiero salir!» o el estridente «¡au!» (ahorrándose el «mi-») que emiten si alguien inadvertidamente está a punto de sentarse precisamente en la misma silla en la que el minino está descansando; todo ello no son más que variantes del «miau» básico, y cualquiera que tenga gatos los diferenciará inmediatamente (pág. 44).

Los gatos entre ellos

Cuando se relacionan entre adultos, los gatos suelen prescindir del «miau» propio de los gatitos. Habitualmente su comunicación cotidiana no es de tipo vocal sino que se efectúa mediante gestos y olores (págs. 12 y 20). Pero hay ocasiones en que los gatos también recurren a los sonidos para darse a entender.

Gritos y aullidos. Si se aproximan dos gatos que no se llevan muy bien es probable que exterioricen su agresividad de un modo muy sonoro. El espectáculo alcanza su cota máxima durante la época de celo, cuando dos machos se disputan la misma hembra. Pero las gatas también pueden gritar y aullar con todas sus fuerzas cuando de lo que se trata es de defender sus derechos territoriales.

Aullidos guturales. No es un sonido muy frecuente, pero

comprenderemos mucho mejor su significado si nos fijamos en que el gato adopta una postura con el cuerpo retraído y las orejas inclinadas hacia atrás. Está muy claro: el animal tiene miedo y se encuentra en una situación de la que no sabe cómo salir. Ese aullido casi parece un llanto y expresa algo así como: «A pesar de que estoy aterrorizado y lo paso muy mal, aún me sobra valor para clavarte todas mis uñas si te acercas más de la cuenta».

Bufar y escupir. El sordo bufido de un gato asustado, amenazado o furioso es algo que no necesita traducción. Es algo que comprenden inmediatamente tanto sus congéneres como los que no son gatos. El escupir añade una nota atemorizadora al bufido y se inicia con un sonido muy seco que suena algo así como una «K». El que no se aparte inmediatamente corre el riesgo inminente de conocer de primera mano la eficacia de las uñas del animalito.

Gruñir. En determinadas ocasiones, los gatos pueden emitir unos gruñidos parecidos a los de los perros. Por ejemplo, cuando el gato lleva en la boca una presa recién capturada o una golosina especialmente sabrosa y se le aproxima un congénere demasiado descarado.

Arrullar. Las gatas pueden arrullar de forma suave y sensual cuando se les aproxima un pretendiente, y el mismo arrullo lo emplean también para llamar a sus gatitos.

Tonos suaves. También los gatos machos son capaces de mostrar suavidad en los sonidos que emiten. Cuando intentan cortejar a su pareja la atraen con unos ronroneos,

Un tierno y dulce «miau». ¿Quién puede mantenerse inflexible ante una llamada así?

RECUERDA

Aprendizaje para personas y gatos

Ronronear

✔ «Soy feliz. Me encuentro relajado y tranquilo». Si el gato está meditabundo significa: «Estoy de buen humor». Si el gato está enfermo: «Estoy en baja forma. Por favor, no me hagas nada».

Maullar

✔ «Quiero que me presten atención».

Maullidos insistentes

✔ «Por favor, déjame entrar. Ahí fuera hace mucho frío».

Maullido pedigüeño

✔ «Me estoy muriendo de hambre, dame algo de comer».

Maullido angustioso

✔ «Socorro, que alguien me ayude a bajar de este árbol».

Arrullo suave

✔ «¡Ven aquí!» o «¡venid conmigo!» (gata a sus gatitos). «¡Hola, aquí estoy!». (El gato llega a casa y saluda a su dueño).

Aullido gutural

✔ «¡Tengo miedo!».

Bufidos

✔ «Si no te alejas voy a tener que defenderme».

Gritos

✔ «¡Auaaaa!».

1 Rascarle la barriga

Cuando un gato se estira a lo largo para dejarse rascar la barriga, es raro que lo haga en absoluto silencio. Normalmente emite un suave ronroneo para indicar lo mucho que le gusta que le hagan caricias. Es probable que en esos momentos el gato recuerde las caricias que le hacía su madre con la lengua y esto le produzca una sensación de recogimiento y de sosiego.

2 Rascarle las mejillas

¡Qué placer, dejar que a uno le acaricien de este modo la barbilla y las mejillas! La expresión de este gato muestra sin lugar a dudas el inmenso placer que siente dejándose mimar. Si apoyamos suavemente la mano en su garganta notaremos un suave ronroneo: su garganta vibra hasta el tórax al mismo ritmo de su respiración.

susurros y cantos tan suaves y melódicos que nadie diría que de su garganta también pueden salir otros sonidos muy distintos a éstos.

Graznidos. Si, por ejemplo, nuestro minino está sentado ante la ventana y ve a un mirlo revoloteando por el jardín, es probable que emita una especie de graznidos con los que exterioriza su instinto de caza. Pero no son graznidos como los de un ave, sino un sonido casi sordo que parece una mezcla de chasquidos de lengua y castañeteo de dientes.

Ronroneos de placer

Acariciamos a nuestro gato y él empieza a ronronear. ¿Pero cómo logra emitir este sonido tan característico? Lo único que sabemos seguro es que el ronroneo se produce en la garganta, aunque haga vibrar todo el cuerpo. Parece ser que uno de los factores anatómicos que posibilitan el ronroneo es el hecho de que el hioides esté totalmente osificado. Pero en la laringe del gato encontramos otra peculiaridad anatómica que aparentemente tiene un papel decisivo: entre las cuerdas vocales normales posee un pliegue laríngeo que actúa como unas «falsas cuerdas vocales» contra las que roza el aire al inspirar y espirar. Según algunos autores, el ronroneo se produciría a base de interrumpir el flujo de aire mediante ligeras contracciones de la musculatura de la laringe. De hecho, el ronroneo de los gatos no es mas que una versión silenciosa de los ronquidos que producen algunas personas cuando duermen. Sólo que el gato lo hace voluntariamente y estando despierto (pág. 16).

Razas de gatos en detalle

Cada gato tiene su propia personalidad. Pero podemos destacar algunas características propias de cada raza, como por ejemplo si son parlanchinas o más bien silenciosas.

El **Siamés**, ese sofisticado gato asiático, no tiene unos modales muy nobles. Al contrario, es un gato muy temperamental y prefiere ir siempre a su aire. Suele ser muy activo y es capaz de poner a prueba los nervios de quienes conviven con él. Pero no es solamente un «charlatán» irreprimible, sino también un animal excepcionalmente inteligente al que le encanta aprender cosas nuevas.

El **British Shorthair** no sólo tiene un pelaje muy suave, sino que también tiene un carácter muy equilibrado. Es bastante independiente, pero muy pacífico. Es raro que grite o bufe.

Entre los **gatos domésticos** encontramos ejemplares con todo tipo de temperamentos. Desde tímidos hasta arrogantes y valientes, y desde tranquilos hasta insoportables.

El **Maine Coon** es una raza americana grande y con un carácter tranquilo y equilibrado, pero dotada de una voz aguda como un pitido.

Un **Burmés** siempre querrá ser el centro de atención. Es un gato muy temperamental que necesita mucha dedicación y un «buen oído».

El **Sagrado de Birmania** reune las características del gato siamés y del persa: vitalidad y ganas de jugar, con paciencia y tranquilidad.

Los **Persas** suelen ser animales muy tranquilos y pacíficos a los que les encantan los mimos, pero también les gusta poder disfrutar de su intimidad.

El ABC de la expresión corporal

Los gatos no necesitan recurrir a las palabras para poder expresarse con claridad. Por lo menos los gatos adultos se comunican entre sí principalmente por gestos. Una expresión determinada, una mirada, las orejas como banderas de señales, y todo queda claro. Los gatos no sólo son capaces de acercarse en absoluto silencio, sino que también pueden conversar sin emitir ningún sonido.

¿Qué hacer? Limpiarse a uno mismo suele ser señal de indecisión.

Posturas del cuerpo

La postura que adopte el gato ya basta para transmitir a distancia a sus congéneres algunos datos acerca de su rango, personalidad y estado de ánimo. Permanecer estirado con las cuatro extremidades extendidas, caminar despacio con el cuerpo tenso, o encogerse erizando el lomo son posturas que hablan por sí solas y que también son perfectamente comprensibles para nosotros.

Cuando un gato está de buen humor y dispuesto a que le enseñemos algo nuevo se sienta sobre las patas traseras, levanta las delanteras y coloca la cola rodeando su cuerpo.

Cuando un gato está inquieto o de muy mal humor, contrae su cuerpo y retrae las extremidades anteriores bajo el pecho. Esta postura le permite saltar en cualquier momento o lanzar hacia delante una de sus patas delanteras para propinar un buen arañazo. Por regla general, los demás gatos reconocen que su compañero no está para bromas y le respetan el derecho a estar solo, a menos que ocupen un rango social más elevado y tengan un claro derecho a pasar y sentarse donde les parezca.

Señales con la cola

Al gato, la cola no sólo le es muy útil para equilibrarse, sino que también la utiliza como bandera de señales para transmitir todo tipo de mensajes a distancia.

SUGERENCIA

Observe a su gato

- Cuando juegue con su gato o esté mimándolo, préstele toda su atención. Si usted está viendo la televisión o charlando con alguien no podrá percibir expresiones corporales tales como la de «¡Ya basta por hoy!».
- Si de un día para otro su gato muestra síntomas de inseguridad o miedo sin que haya ninguna causa aparente para ello, es probable que le duela algo o que esté enfermo.

Cola en alto. La cola levantada perpendicularmente significa un saludo amistoso: «¡Hola! ¡Soy yo!».

Cola ligeramente curvada. Si el gato tiene la cola suavemente curvada hacia abajo y con la punta ligeramente arqueada es señal de que todo está en orden. Se encuentra seguro y relajado.

Cola horizontal y erizada. Es una señal inequívoca de que está furioso y dispuesto a atacar. Si además tiene algo de miedo, que es lo más frecuente, la cola erizada podrá mostrar ambos estados de ánimo: la base de la cola estará en posición horizontal y el resto se inclinará hacia abajo dándole al conjunto una forma de garfio.

Cola en movimiento oscilante. Cuando el gato mueve la cola de un lado a otro es señal de que está indeciso, tiene algún tipo de conflicto interno: «¿Debo hacerlo, o es mejor que no?».

Cola a un lado. Las gatas en celo adoptan esta postura para expresar su disposición al apareamiento.

Cola hacia abajo. Cuando un gato pierde en un enfrentamiento o se siente en condiciones de inferioridad coloca la cola lo más abajo que puede, incluso entre sus patas traseras. Así expresa su bajo rango social. Si a la vez eriza el pelo de la cola es señal de que está aterrorizado.

Al jugar, los gatitos nos muestran todo su repertorio de expresión corporal. En estos momentos lo único que cuenta es la pelotita.

Aparentar más de lo que se es

El gato puede erizar su pelaje tanto para expresar agresividad como por tener miedo.

Los pelos de su lomo se ponen en posición casi vertical, como si fuera un erizo, y su cola adquiere el aspecto de un cepillo para limpiar botellas. La finalidad de esta estrategia es aparentar un tamaño mayor del que tiene en realidad para impresionar a su contrincante e intentar convencerle de que será mejor que se vaya sin oponer resistencia. Es un truco tan viejo como efectivo.

En casos extremos, cuando un gato se enfrenta a un oponente mayor que él y se siente acorralado no tiene más remedio que echar mano a todos sus recursos. En esos casos no sólo eriza hasta el último centímetro de su pelaje, sino que arquea su cuerpo y curva la cola erizada. Cuando se gira lateralmente hacia su contrincante, éste solamente ve una enorme silueta que se coloca ante sus ojos. Los bufidos y gruñidos acaban de redondear la actuación y son una pieza clave en el desenlace final.

Expresión facial

La cara de un gato, con sus hermosos ojos y sus grandes orejas, es un estupendo indicador de su estado de ánimo. Por su expresión sabremos si está feliz o está furioso, si está alerta o adormilado. Dado que los gatos son muy observadores, detectan inmediatamente cualquier cambio en la expresión de sus compañeros y reconocen a tiempo cualquier cambio en su estado anímico. Si usted pretende llegar a convivir en armonía con su minino deberá aprender a observarlo y a tener en cuenta estos detalles tan sutiles. Sólo así podrá evitar malentendidos.

«Estoy bien». Si un gato está relajado y tranquilo, pero atento, tendrá sus facciones distendidas, las orejas erguidas y los bigotes ligeramente caídos. Si le va venciendo el sueño, sus párpados irán bajando cada vez más y al final el minino se enrollará para

Al acariciar al gato, éste deja caer su cola a un lado como señal de bienestar.

dormir plácidamente. Si algo le llama la atención, abre completamente los ojos y la tensión se refleja en su rostro. Las orejas se orientan hacia delante y los bigotes se despliegan. Pero si el gato orienta las orejas hacia los lados para luego inclinarlas totalmente hacia atrás, y a la vez encoje un poco los labios, es señal de que ha percibido algo que le provoca ira o miedo.

Miedo. Cuando un gato tiene miedo, automáticamente se prepara para defenderse con todas sus fuerzas y envía a su «enemigo» una señal de advertencia inconfundible: retrae las orejas, dilata las pupilas y le bufa con todas sus fuerzas a la vez que le enseña los dientes.

Ira. Cuando un gato está furioso baja lentamente la cabeza, clava la mirada en su oponente y estrecha las pupilas hasta que prácticamente se convierten en rendijas. Las orejas las pliega hacia los lados de forma que su contrincante pueda verle el dorso. Si el otro no sabe interpretar esta advertencia, o hace caso omiso de ella, el gato puede pasar al ataque en cualquier momento. En caso de agresión, el gato ataca principalmente con los dientes, mientras que para defenderse suele recurrir a las uñas.

Agresividad e inseguridad. Es muy raro que un gato sea realmente agresivo. Por regla general, su agresividad está relacionada en mayor o menor grado con el miedo. Lo habitual es que en el rostro de un gato furioso se mezclen las expresiones de agresividad con las de defensa, y serán sus orejas las que mejor nos indiquen cuál es su estado de ánimo predominante: cuanto más muestre a su oponente la cara posterior de las orejas, mayor será su predisposición para pasar al ataque. Cuando el gato solamente está a la defensiva, pliega las orejas lateralmente hacia atrás de forma que desde delante sólo se ven sus bordes horizontales.

¿Comprende usted bien a su gato?

	Sí	No
1. Tiene las orejas tan giradas hacia los lados que desde delante se pueden ver las partes posteriores de éstas. El minino está furioso y se dispone a atacar.	☐	☐
2. El gato se pega al suelo ocultando las patas delanteras bajo el cuerpo. Quiere que lo dejen en paz.	☐	☐
3. Dos gatos se sitúan uno frente al otro y se miran fijamente. Se están intimidando mutuamente.	☐	☐
4. A pesar de que hay mucha luz, el gato tiene las pupilas totalmente dilatadas. Tiene miedo.	☐	☐
5. Su gato está sentado ante la puerta de la terraza moviendo la cola de un lado a otro mientras mira como llueve ahí fuera. Está indeciso y no sabe si salir o quedarse.	☐	☐
6. Su gato acude a recibirle con la cola levantada casi verticalmente. Está de buen humor y se siente feliz.	☐	☐

Puntuación: 6 respuestas afirmativas: usted entiende el lenguaje de los gatos igual de bien que ellos. 5 a 6 respuestas afirmativas: a veces aún se equivoca al interpretar a su gato. 0 a 3 respuestas afirmativas: si realmente quiere llegar a conocer a su gato será mejor que se lea bien este libro.

Cuestiones acerca de los lenguajes corporal y vocal

? **Tengo entendido que el ronroneo es una expresión de bienestar. Entonces, ¿por qué muchos gatos ronronean cuando los examina el veterinario o incluso cuando están mortalmente enfermos?**
El ronroneo suele ser una forma de expresar que se siente a gusto, pero el gato también puede emplearlo como una especie de bandera blanca acústica. El gato puede hacerla ondear para indicar que se rinde. Con ello pretende evitar que su oponente lo ataque y conseguir que la situación no empeore.

? **Nuestro gato, cuando duerme, suele ponerse de espaldas. Parece algo muy humano. ¿Es posible que esté imitando nuestra forma de dormir?**
No. Cuando los gatos duermen sobre una superficie blanda les gusta mucho darse la vuelta de forma que apoyen la nuca e incluso todo el dorso sobre ella, pero solamente lo harán si se sienten absolutamente seguros. Si estando usted presente su gato se pone a dormir en esta posición que le deja totalmente indefenso ante un posible ataque, será señal de que le tiene total confianza.

? **Cuando mi marido juega con nuestro Mixus y lo mima, a veces observo que las pupilas del gato se contraen y que de repente le muerde en la mano. ¿Por qué lo hace?**
A pesar de lo bien que los gatos saben controlar sus posturas y sus movimientos, existen algunos actos reflejos que son incapaces de dominar. Entre ellos se cuentan la dilatación y la contracción de las pupilas. Por una parte, esto les sirve, al igual que a nosotros, para controlar la cantidad de luz que entra en el ojo, y por otra, para exteriorizar lo que les pasa por la cabeza en ese preciso instante. El miedo hace que las pupilas se les dilaten hasta

El minino ha localizado a su amo. ¡Cola arriba para ir a saludarlo!

adquirir el aspecto de dos grandes agujeros redondos, mientras que la ira y la agresividad hace que se conviertan en pequeñas rendijas. Fíjese bien en estas reacciones. La contracción de las pupilas de su Mixus es la primera señal de que ya está empezando a cansarse de jugar y que le molesta que lo sigan acariciando con la mano. A partir de ahora, si usted no suspende la sesión de juegos por decisión propia, es probable que el gato pase a emplear las uñas o los dientes para expresar más claramente sus deseos.

? Hace unos días quise hacer enfadar un poco a mi gata Mia. Le hice un bufido con un sonoro «shshshsh» y me puse a reír. Pero Mia sacó las uñas y me dio un buen zarpazo. ¿No es capaz de distinguir entre un ataque real y un juego?

No, un gato no puede hacerlo. Su gata sabe interpretar el significado del bufido, pero no el de la risa. Debió sentirse muy sorprendida por su repentina agresividad, pero su instinto le hizo defenderse en el acto de ese «ataque».

? Muchas veces he podido observar cómo nuestro gato intentaba cazar pájaros –afortunadamente, sin suerte– en el jardín de casa. Se les acerca sigilosamente, pero a la vez mantiene levantada la cola y la mueve de un lado a otro. Esto advierte a los pájaros y hace que salgan volando. ¿Nuestro gato es tonto?

No precisamente. Siempre que los gatos sufren algún tipo de conflicto interno lo exteriorizan de algún modo con su cola. Se ondula o se agita de un lado a otro. Al acechar a una presa, esto puede significar que el gato no sabe si será mejor lanzar el ataque ahora mismo o si le convendría esperar algunos segundos. Pero esto solamente le sucede cuando juega a cazar o si las condiciones son muy desfavorables para sus propósitos, como por ejemplo en un césped descubierto y recién cortado. De lo contrario, la cola siempre le delataría y el hambre habría acabado con estos felinos hace muchísimo tiempo. La caza «verdadera» la llevan a cabo en lugares en los que puedan esconderse perfectamente, y sus presas no suelen ser aves, sino que en el 90 % de los casos se trata de pequeños roedores, que son animales que no ven muy bien.

MIS CONSEJOS PERSONALES

Helga Hofmann

Así logrará comprenderlos

- Nunca crea que lo que es válido para un gato también deberá serlo para otro. Los gatos tienen una personalidad muy acusada y pueden expresarse de formas muy distintas.
- Durante los primeros tiempos, observe a su nuevo gato todo lo que pueda. Así rápidamente aprenderá a identificar todas sus expresiones.
- Para indicar a su gato que todo está en orden, emita un susurro suave y uniforme. El gato lo identificará como un ronroneo.
- La música que a nosotros nos parece placentera puede resultar molesta o incluso dolorosa para el sensible oído del gato.
- Cuando los gatitos juegan, muestran muy claramente las expresiones de su lenguaje corporal. Le será muy útil observarlos atentamente mientras juegan entre ellos.

Los gatos y su mundo de olores

Señales aromáticas

¿Qué habrá encontrado el minino en ese viejo poste de madera que hace rato está olfateando? Para el olfato del gato, es como un tablón de anuncios en el que puede leer los mensajes olorosos que han dejado sus congéneres.

Al frotar un objeto con la mejilla le deja una marca olorosa que indica: «¡Esto es de mi propiedad!».

Siempre se guían por el olfato

La mucosa que recubre el interior de las fosas nasales del gato contiene más de 200 millones de células olfativas, es decir, diez veces más de las que tenemos nosotros. Por tanto, no es de extrañar que nos sea casi imposible imaginar cómo debe ser el mundo de olores en el que se desenvuelven los gatos. Lo que sí podemos hacer es darnos cuenta de que emplean su olfato para explorar a fondo cualquier objeto desconocido que se encuentren.

Los gatos emplean los olores principalmente para comunicarse entre sí.

Unos personajes «olorosos»

En distintas partes de su cuerpo, los gatos poseen unas glándulas cutáneas que segregan distintas sustancias olorosas, como las glándulas próximas al ano, o las que tienen en las mejillas, en la base de las orejas y alrededor de los ojos. Estas secreciones están formadas por sustancias muy distintas y cuya composición individual transmite datos muy concretos acerca de la edad, sexo, rango social, receptividad sexual e incluso del estado emocional de su emisor.

¿Que cómo funciona todo esto? Veamos. Cuando se encuentran dos gatos que no se conocen, lo primero que hacen es intentar colocar su hocico lo más cerca posible de la región anal del otro para hacerse una idea (olfativa) de su congénere.

SUGERENCIA

Hierba gatera, ¿realidad o fantasía?

- Esa planta contiene un aceite esencial que en muchos gatos actúa del mismo modo que la marihuana en las personas: los pone «a tono».
- Si a su gato la hierba gatera le deja indiferente es señal de que pertenece a ese 50% de los gatos que -por herencia genética- no reaccionan a los principios activos de esta planta.
- Al contrario de lo que nos sucede a nosotros con las drogas, a los gatos no les hace ningún daño «colocarse» de vez en cuando.

Normalmente, nuestros queridos felinos se comunican empleando una especie de sistema de transmisión de datos a distancia. Se coloca una nota en forma de señal olorosa, principalmente orina o excrementos, en un lugar destacado que actúa como si fuese un tablón de anuncios para gatos y en el que cualquiera puede «leer» los mensajes que allí se dejan.

Marcas de orina

Las marcas de orina (págs. 27 y 54) desempeñan un papel especialmente importante para las comunicaciones de nuestros mininos. Suelen marcar estructuras verticales de su territorio, y para salpicarlas se aproximan a ellas a la vez que levantan la cola y la hacen vibrar. Esta técnica la dominan perfectamente tanto las gatas como los gatos, pero son estos últimos los que la emplean con más frecuencia. Estos «grafitis» olorosos hacen que el posible intruso se entere inmediatamente de la fuerza y las intenciones del propietario de ese territorio y, a la vez, sirven para que el propietario defina los confines de sus dominios y se rodee solamente de aquellos que merezcan su confianza.

Algunas plantas desprenden un aroma irresistible para los gatos.

Los gatos suelen colocar sus marcas en el interior de su propio territorio, raramente en sus límites. Es muy probable que empleen las marcas de orina como una especie de «normas de circulación» en su territorio. Les permiten apartarse a tiempo del camino y evitar situaciones conflictivas ya que previamente se han enterado de quién pasa por dónde y cuándo. Cuanto más fresca esté la marca, más probabilidades hay de que su autor se encuentre en las cercanías.

Pero la escritura olorosa de los gatos se desvanece al cabo de

RECUERDA

«Aromas» que los gatos adoran

Hierba gatera y valeriana

✔ Para muchos gatos, el olor de estas hierbas es como una droga. Si quiere dar una alegría a su gato, cultive estas plantas en las jardineras de la terraza.

Menta y tomillo

✔ Enriquecen el universo olfativo del gato dentro de casa. Puede cultivarlas usted mismo o comprarlas en macetas.

Melisa

✔ Esta hierba también les gusta mucho a los gatos. En las tiendas de verduras y legumbres se la puede comprar en macetas.

Un cajón con heno fresco

✔ A los gatos que viven casi siempre dentro de casa les gustan mucho los excitantes olores venidos del exterior.

unas 24 horas. Por esto, los gatos dominantes a los que les interesa hacer acto de presencia tienen que darse cada día una vuelta para ir renovando sus mensajes. Y todos los gatos a los que les gusta dar un vistazo al «periódico del día» hacen lo mismo para que no se les pase por alto ninguna noticia.

Frotar las mejillas

Los gatos no sólo tienen glándulas olorosas en la región anal, sino también en la cara, y concretamente alrededor de los ojos, bajo las orejas y en la barbilla. Las secreciones de estas glándulas también son portadoras del aroma personal del animal, pero de una forma tan sutil que nosotros no podemos llegar a percibirlo. El minino emplea este olor para marcar aquellos objetos a los que considera de su propiedad. Al frotarlos con su cabecita les imprime un sello personal inconfundible. Suele hacerlo muy especialmente con objetos de su ambiente más próximo, como por ejemplo el sofá, la puerta, y las patas de sillas y mesas. Todos estos elementos los considera de su propiedad, y lo mismo puede decirse de los pantalones de su dueño.

«¡Esto sí que huele fuerte!» No todos los perfumes son del agrado del gato.

Dar la cabecita

Cuando se encuentran dos gatos que se aprecian, se saludan frotándose las cabezas mutuamente. De este modo, cada uno transmite su olor corporal al otro. Eso es algo que los hace sentirse muy unidos. Y lo mismo hacen los gatos domésticos con sus amigos humanos. Al frotar la cabeza contra la mano de su dueño, el gato lo incluye en su círculo de amistades.

Rastros olorosos

Los gatos tienen glándulas sudoríparas en sus patas. El sudor que segregan estas glándulas impregna las almohadillas de las patas y les sirve para marcar sus propias huellas. En ocasiones incluso puede alterarse su composición química para indicar si el gato está asustado o si se trata de una gata en celo.

Escribir con las uñas

Entre los dedos de las patas

SUGERENCIA

Marcar en casa

- Si se quiere evitar en lo posible que el gato marque con su orina dentro de casa es conveniente llevarlo al veterinario para que lo castre antes de que alcance la madurez sexual.
- Los lugares que ensucie habrá que limpiarlos con un detergente apropiado y alcohol. No basta con emplear un spray que neutralice el olor.
- Si un gato marca repentinamente su territorio puede deberse a que sufre de estrés. En estos casos, lo mejor es localizar y eliminar lo que le esté estresando.

Cuando acaba de despertarse, el gato siente la misma necesidad de afilar sus uñas que de bostezar y estirarse. Si no dispone de ningún arañador cerca de su cama, lo hará sobre la alfombra.

del gato se encuentran unas pequeñas glándulas que se activan cuando el animal saca las uñas. Su secreción, junto con el sudor, pasa a impregnar la superficie arañada. También en este caso la mezcla de olores se convierte en la tarjeta de visita del gato. Y al mismo tiempo, éste deja una marca visual que durará bastante tiempo. Los gatos son fieles a sus marcas y les gusta repetirlas con regularidad en el mismo sitio. Y ni siquiera el árbol más robusto podrá evitar que a la larga queden marcas muy visibles en su superficie, por no decir de lo que ocurre con un sofá. Pero al gato solamente le interesa una cosa: cuanto más visible sea la marca, mejor. Después de todo, de lo que se trata es que los demás gatos tengan muy claro cuál es su casa. Además, al marcar las superficies también aprovecha para afilar sus armas. Al arañar se desprenden de las uñas las capas córneas más viejas y aparecen unos nuevos, brillantes y afilados «puñales».

En cuanto al lugar más adecuado, la mayoría de los gatos extienden las uñas como parte de su rutina al despertarse. Después de un sueñecito hay que bostezar, estirar primero la parte anterior del cuerpo, luego la posterior y finalmente, darse el gustazo de afilarse las uñas. Por esto, es lógico que su «árbol para arañar» deberemos colocarlo cerca del lugar en el que el gato acostumbra a dormir o descansar (pág. 57).

Cómo interpretar el comportamiento del gato

¿Domina el lenguaje del gato? Aquí descubrirá qué es lo que su pequeño tigre quiere comunicarle con su comportamiento ? y cómo deberá reaccionar usted en cada caso →.

El gato le planta cara, se eriza y bufa con fuerza.

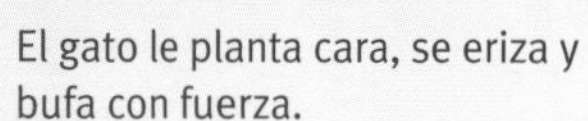

? Está irritado. Sus pupilas y la posición de su cuerpo muestran una mezcla de agresividad y miedo.

→ Apártese de él y espere hasta que el animal se haya tranquilizado.

El gato deja de saltar por ahí, se tumba ante usted, inclina la cabeza y le mira.

? Su minino le está invitando a que juegue con él, tiene ganas de divertirse un rato en su compañía.

→ Acepte su propuesta y juegue con él, pero interrumpa los juegos en cuanto se muestre más salvaje de la cuenta.

Su minino descansa plácida y relajadamente sobre su cojín favorito.

? Se siente absolutamente seguro y confortable.
→ No le moleste. Los gatos necesitan dormir mucho más que las personas.

Su gato está sentado tranquilamente con las patas delanteras bajo el pecho y observando atentamente todo lo que sucede.

? Está esperando algo. Por ejemplo, a que usted vaya a la cocina.
→ Piense qué es lo que usted hace habitualmente a esta hora.

El gato emite un maullido penetrante y le mira fijamente.

? Su gato quiere algo y se lo pide con insistencia.
→ Manténgase firme, aunque sea a base de poner sus nervios a prueba.

Su gato da vueltas en el suelo ante usted y le enseña la barriga.

? Considera que ahora sería un momento excelente para que le rascasen la barriga.
→ Hágaselo, pero fíjese en su actitud para saber cuándo ya tiene bastante.

Cuestiones acerca de su lenguaje olfativo

El gato de mi amiga entierra sus excrementos en la arena de su cubeta, pero el mío no lo hace. ¿Hay alguna explicación para ello?

Los gatos emplean sus excrementos para indicar su rango social. En su territorio, un gato dominante dejará sus excrementos al descubierto en distintos lugares de paso. Pero uno de rango inferior procurará enterrarlos con el máximo esmero para reducir en lo posible sus marcas olorosas y evitar ofender a sus congéneres.

Cuando un gato doméstico entierra sus excrementos en la arena de la cubeta, esto significa que acepta que nosotros tengamos un rango superior al suyo (o que lo tenga otro gato que viva en la misma casa). Por lo visto, éste no es el caso de su gato.

¿Existen olores que ahuyentan a los gatos?

Sí, los hay. El vinagre y las cebollas, por ejemplo, son una verdadera ofensa para el fino olfato gatuno. Pero a los gatos también les pueden molestar muchísimo algunos perfumes muy caros y que a nosotros nos encantan. Tampoco les gustan nada los desinfectantes y los productos para la limpieza, así como las pinturas y los barnices. Para los gatos, el olor de cualquier perro desconocido suele ser una señal de alarma. Lo cual no es de extrañar, pues muchos perros tienen la costumbre de atacar a los gatos.

Muchas veces, cuando nuestro gato está en el exterior se queda como petrificado y pone una cara muy extraña. ¿Qué significa este comportamiento tan extraño?

A veces los gatos se sientan sobre un muro o cualquier otro lugar elevado y se quedan como si fuesen estatuas,

En la primera excursión al aire libre todo es nuevo. También los olores.

mirando al vacío, con el cuello proyectado hacia delante y la boca ligeramente abierta. Con los labios algo levantados y la boca un poco abierta, el gato adquiere un aspecto que parece que esté suspirando.
El minino ha topado con un olor que le gustaría analizar mucho más a fondo. Y lo hace empleando un órgano situado entre la tráquea y las fosas nasales, y del que nosotros carecemos: el órgano de Jacobson. Su función está entre el olfato y el gusto. El gato puede emplear la lengua para capturar moléculas aromáticas del aire y llevarlas hasta el órgano de Jacobson para analizarlas. Si necesita hacerlo de un modo más rápido e intensivo, succiona el aire a través de la boca entreabierta para hacerlo llegar directamente a su órgano analítico: suspira.

? Desde que nuestro gato «Félix» se ha hecho adulto, nos salpica toda la casa con una orina maloliente. ¿Qué podemos hacer para que pierda esta mala costumbre?
A la mayoría de las personas les cuesta mucho aceptar que el hecho de que sus mininos marquen con orina es un comportamiento intrínseco de la naturaleza gatuna, y no digamos ya si lo hacen dentro de casa (págs. 21 y 54).
Mediante la castración se puede evitar el olor intenso de la orina, pero no forzosamente su costumbre de marcar el territorio (pág. 22). Para tener más probabilidades de éxito es preferible castrar al animal antes de que alcance la madurez sexual. En el caso de «Félix», lo mejor será castrarlo cuanto antes. Pero de todos modos no es seguro que vaya a dejar de marcar para siempre.

? Cuando nuestro gato corretea por encima del coche deja unas huellas muy claras de sus patitas sobre la carrocería. ¿Son marcas de sudor?
En efecto, los gatos tienen glándulas sudoríparas en sus patas, y solamente ahí. Pero no las emplean para regular la temperatura corporal, sino para dejar unas marcas olorosas que puedan ser identificadas por sus congéneres. Para combatir las temperaturas demasiado altas, el gato recurre a acicalarse el pelaje y a lamérselo untándolo con saliva que, al evaporarse, lo refresca.

MIS CONSEJOS PERSONALES

Helga Hofmann

El arañador

- Los gatos que acostumbran a salir al exterior también necesitan tener un arañador dentro de casa.
- Los arañadores provistos de una plataforma de descanso o un túnel de material mullido cumplen varias funciones simultáneamente.
- Para los aficionados al bricolaje: tome un poste de madera del grosor de un brazo, enrolle fuertemente en él una cuerda de cáñamo, y sujételo a un soporte muy estable para que no se mueva ni oscile lo más mínimo.
- Puede realizarse un buen arañador cubriendo un listón de madera con un trozo de moqueta o de alfombra vieja, y sujetándolo a la pared un poco inclinado. Pero es importante que este arañador sea muy distinto de las alfombras y moquetas «prohibidas» del resto de la casa.
- Coloque el arañador en un lugar al que el gato pueda acceder en cualquier momento. Lo ideal es ponerlo cerca del lugar en el que duerme.

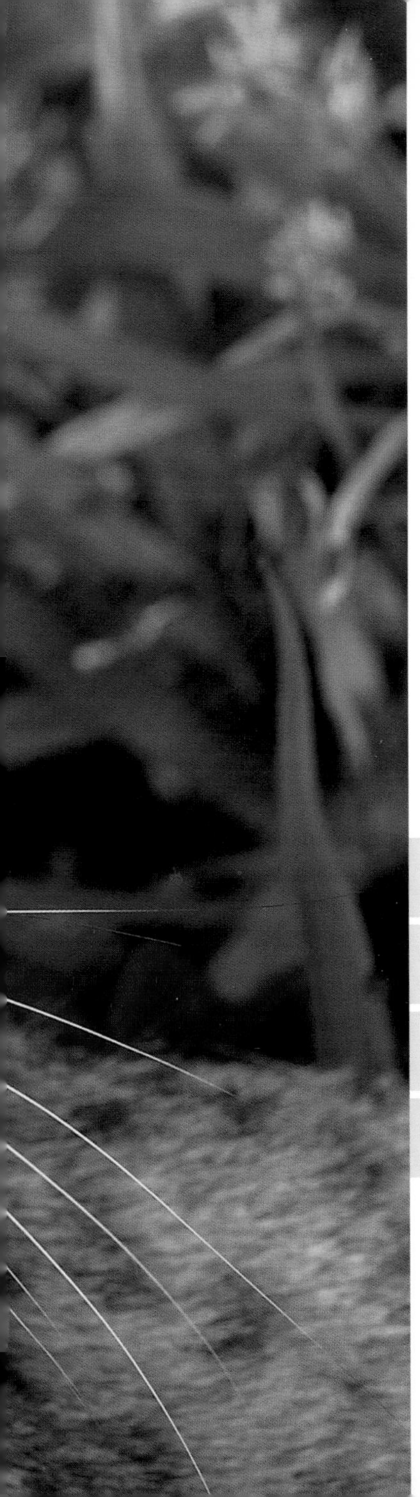

Cómo aprenden a comprendernos los gatos

Así nos comprende bien el gato

¡Gato y humano, que pareja tan desigual! Pero generalmente llegan a comprenderse bastante bien, especialmente porque el gato se fija mucho, aprende rápidamente y es muy adaptable.

> *¿Dentro de diez minutos me vas a dar de comer? ¿Lo habré entendido bien esta vez?*

Conversaciones

Nosotros, los humanos, nos comunicamos principalmente mediante el lenguaje hablado. Estamos acostumbrados a hacerlo así, y automáticamente empleamos el mismo método con nuestros animales domésticos. Según unas encuestas, más del 95 % de las personas que tienen gatos en casa acostumbran a hablarles. Me parece que el resto simplemente no querían admitirlo. Su simpático «Mixus» quizá no comprenda todo lo que usted le dice, pero sí una gran parte de ello. Naturalmente, si le explica las ventajas de su nuevo coche o le lee un discurso de política nacional no entenderá casi nada, pero el tono de su voz y los gestos con que la acompañe le servirán para percibir cuál es su estado de ánimo, si le habla de algo bueno o divertido y de si a él le afecta o no.

Por tanto, no explique demasiadas sutilezas a su gato. Lo más importante será lo que le transmita con su tono de voz. Así, cuando sea necesario, podrá tranquilizarlo, calmarlo, atraerlo e incluso mimarlo.

Lo importante es emplear el tono adecuado

Naturalmente, el gato oye en su vida cotidiana muchas palabras cuyo significado conoce perfectamente. Especialmente su nombre. Más pronto o más tarde, todos los gatos acaban por comprender que esa llamada va dirigida exclusiva-

SUGERENCIA

Para que aprenda su nombre

- A los gatos es preferible ponerles nombres de dos sílabas que se puedan pronunciar de forma cariñosa y que sirvan para atraerlos.
- Si constantemente le cambia el apodo o lo llama de modos distintos, no hará más que confundir al pobre animal.
- Haga que el gato siempre relacione su llamada con algo positivo, como por ejemplo acariciarlo, jugar con él o darle de comer, pero nunca con algo que le pueda resultar desagradable, como encerrarlo o darle medicamentos a la fuerza.

mente a él. Generalmente la identifica como una llamada muy clara y que vale la pena seguir. Pero a veces puede suceder que en cuanto el gato oiga su nombre salga disparado dando un brinco en el aire y desaparezca de inmediato, especialmente si acaba de hacer algo que cree que puede disgustar a su dueño. Muchas veces he podido comprobar que si hay varios gatos juntos y yo llamo por su nombre al que ha hecho algo malo, éste se esfuma a toda velocidad o se me acerca con cara de arrepentimiento mientras que los demás apenas reaccionan y siguen como si tal cosa. Los que tienen otros nombres no se dan por aludidos.

Mucha gente cree que los gatos oyen mejor los nombres que incluyen alguna «i». Es cierto que los gatos captan con gran facilidad los tonos agudos, pero si a su gato negro y grandote decide llamarlo «Brutus» o «Satán», también aprenderá su nombre. La cuestión que se suele plantear en estos casos es si usted será capaz de llamar de forma tierna y cariñosa a un gato con semejantes nombres.

Atender por su nombre

Cuando el gatito llega a su nueva casa, lo primero que suele hacer su nueva familia es reunirse para elegir el nombre que se le va a poner. Y el siguiente paso consiste en hacer que el animalito responda por ese nombre y lo identifique como propio. Si sigue un par de reglas muy sencillas, lo conseguirá rápidamente y sin dificultad (ver Sugerencia en pág. 30).

➤ Llame con frecuencia al gato por su nombre, especialmente durante las primeras semanas.

➤ En los primeros tiempos, premie a su gato cada vez que

A los gatos les encanta que su dueño(a) les hable en voz muy baja.

RECUERDA

El tono adecuado para relacionarnos con él

Sensibilidad a los ruidos

✔ A los gatos asustadizos, los juegos y gritos de los niños les proporcionan una sensación de inseguridad. Ocúpese de que el gato pueda irse si lo desea.

No le hable con rabia

✔ Si usted está enfadado por algo, no hable en dirección hacia el gato, porque éste creería que el enfado va dirigido exclusivamente hacia él.

No le riña en voz alta

✔ Cuando el gato esté en periodo de adaptación y se sienta aún inseguro, no le riña nunca levantándole la voz. Antes es necesario crear una relación de confianza mutua entre usted y su animal.

acuda al oír su nombre. Lo mejor es darle alguna pequeña golosina.

➤ Llame a su gato siempre que tenga algo bueno para él, sea la comida o la hora de jugar. Evite pronunciar su nombre cuando vaya a hacer algo que le pueda parecer desagradable, como por ejemplo encerrarlo o inspeccionar dientes y orejas. Los gatos tienen una memoria fenomenal para este tipo de situaciones, y si relacionan su nombre con alguna mala experiencia nunca más acuden al oírlo.

¿Nos han llamado? ¡Un momento, ahora vamos!

Un maestro de las deducciones

Durante su convivencia con los humanos, el gato aprende mucho más que identificar su propio nombre. Al cabo de muy poco tiempo comprende perfectamente el significado de las palabras, órdenes y expresiones que oye siempre en las mismas situaciones. Pero esto no quiere decir que siempre vaya a hacer caso de lo que se le ordena. Los gatos son unos seres demasiado independientes y orgullosos como para rebajarse a hacer algo semejante. Educar a un gato no significa enseñarle a obedecer ni forzarlo a hacer algo contra su voluntad, sino incitarlo a participar en el juego. Para comprendernos, los gatos no atienden únicamente a las señales acústicas. Son unos grandes observadores y su naturaleza les lleva a comunicarse por expresión corporal. Por tanto, no ha de extrañarnos que también se fijen mucho en nuestros movimientos y expresiones. Comprenden inmediatamente los gestos que van dirigidos a ellos, especialmente si levantamos el dedo índice de forma amenazadora o si hacemos ver que les vamos a dar con la palma de la mano sobre el lomo. Pero los gatos son muy sensibles y no hace falta llegar a estos extremos.

Son perfectamente capaces de leer en nuestros gestos y posturas cuál es nuestro estado de ánimo y nuestra predisposi-

SUGERENCIA

Lenguaje de señales

➤ Los gatos son unos excelentes observadores y aprenden a reconocer los gestos con la misma facilidad que las órdenes habladas. Y esto a veces les hace efectuar pequeños juegos acrobáticos. Pero el gato solamente nos deleitará con ellos cuando realmente tenga ganas de hacerlo.

➤ Si al reñirlo levantamos el dedo índice de la mano, el gato entenderá inmediatamente su significado porque le recordará la pata alzada de un gato irritado.

1 Hay que saber cómo hacerlo

Los gatos aprenden observando. No sólo los gatitos observan todo lo que hace su madre para aprender de ella; los gatos domésticos adultos también aprenden mucho fijándose en las personas de la casa. Así, no tardan nada en saber que las golosinas salen de una lata. Y que hay que empezar por saber destaparla...

2 Sírvase usted mismo

Ahora sólo hay que coger lo que se desee. Si la lata es demasiado estrecha como para meter la cabeza en ella, el minino extraerá su contenido con la patita. Lo importante es no perder tiempo y actuar lo más aprisa posible, porque si el amo se da cuenta de que está cogiendo algo «prohibido» es probable que surjan complicaciones.

ción en cada momento. Empiezan por fijarse muy atentamente –y ahí es donde está su verdadera habilidad– y luego interpretan correctamente lo que han visto. Esto hace que muchas veces el gato actúe como si fuese capaz de predecir nuestras acciones.

Estoy cómodamente sentado en mi sillón favorito y al echarle un vistazo al reloj me doy cuenta de que es la hora de darle de comer a nuestro gato «Tobi». Apenas he tenido tiempo de pensar esto cuando mi gato se levanta súbitamente de su cojín, sobre el que lleva horas descansando totalmente inmóvil, y se va rápidamente a la cocina para empezar a maullar alrededor de su comedero. ¿Es capaz de leerme el pensamiento? Eso es algo que cualquiera que tenga gatos se habrá preguntado en más de una ocasión. Naturalmente que no puede hacerlo. Lo que pasa es que, una vez más, no he tenido en cuenta la capacidad de observación y deducción de mi pequeño tigre doméstico. Su reloj biológico ya hacía rato que le avisaba de que se aproximaba la hora de cenar, y es probable que llevase tiempo observándome atentamente sin que yo me diese cuenta de ello.

Una ligera tensión en mi espalda ha sido suficiente para indicarle que me iba a levantar y una mirada inconsciente hacia la puerta de la cocina le permitió deducir fácilmente a dónde iba a dirigirme. Le bastó ser capaz de sumar uno más uno para llegar a la conclusión de que: ¡Ha llegado la hora! ¡A cenar!

Los gatos aprenden observando

Como ya hemos comentado anteriormente, los gatos son unos excelentes observadores. Los gatitos ya se fijan mucho en su madre, pero los gatos adultos también observan a sus congéneres para aprender de ellos. Así, un «recién llegado» inmediatamente aprenderá el funcionamiento de una puerta para gatos si ve cómo la usa un «veterano».

Una pequeña recompensa en forma de caricias o golosina ayuda mucho a educarlo.

«Aprender haciendo»

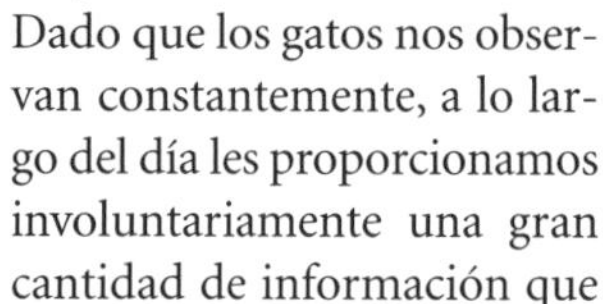

Dado que los gatos nos observan constantemente, a lo largo del día les proporcionamos involuntariamente una gran cantidad de información que ellos luego emplearán para uso personal.

¿Guarda usted caramelos o cualquier otra cosa que le pueda gustar al gato en un frasco colocado en un lugar accesible de la cocina? Si es así, su gato es muy probable que ya haga tiempo que sepa cómo acceder a las golosinas: tiene que levantar la tapa. Ahora sólo es cuestión de su habilidad –y del tiempo disponible antes de que su dueño pueda darse cuenta de la felonía– para que el gato acceda al lugar y se sirva a discreción. O el asunto de las puertas. Para el gato, las puertas son uno de los elementos más incordiantes de la casa. Le cortan el paso, no son tan fáciles de abrir como la puerta gatera, y le es realmente frustrante que cada vez que quiera pasar tenga que esperar a que alguien se las abra. Pero no son pocos los gatos que deciden tomar cartas en el asunto. Les basta observar un par de veces lo que hace su dueño para deducir la relación que existe entre girar el pomo y abrir la puerta. Y entonces es cuando «Tom» o «Pussy» ponen todo su empeño y toda su tozudez gatuna

SUGERENCIA

Gatos y puertas

Para impedir que los gatos que hayan aprendido a abrir puertas pasen a ciertas habitaciones puede hacer lo siguiente:

- Cerrar las puertas con llave o con una aldaba.
- Cambiar la posición del pomo de la puerta de modo que quede en posición vertical. Tendrá un aspecto un poco raro, pero el gato no podrá colgarse de él con sus patas.
- Poner pomos redondos en todas las puertas, que es lo que suelen hacer los ingleses.

en saltar contra el pomo o colgarse de él hasta obtener el efecto deseado. Una vez destrabada la puerta, empujarla con la cabeza o estirarla con la pata (según sea su sentido de apertura) hasta abrirla del todo no es más que una pequeñez sin importancia. Cuando el gato consigue abrir una puerta, ya (casi) ninguna otra puerta podrá resistirse a sus deseos.

Consejo: En las casas con gatos recomiendo colocar pomos giratorios redondos en las puertas. Con ellos los mininos, por mucho que lo intenten, no tienen nada que hacer.

Una gata es una compañera muy sensible. Cuando alguien está triste siempre se acerca para dar cariño y apoyo.

Un compañero muy sensible

Un gato que se sienta plenamente identificado con una persona o con una familia es un verdadero amigo. Tanto cuando las cosas van bien como cuando van mal. Su gran sensibilidad le permite darse cuenta de cuando no nos van bien las cosas. Váyase uno a saber cuáles deben ser las señales que emitimos cuando estamos enfermos o nos sentimos preocupados, pero el caso es que el gato sabe captarlas perfectamente y reacciona del modo más oportuno. Permanece durante horas junto a la cama del niño enfermo, abandonando su cesta y dejando de patrullar por la casa. Se coloca suavemente sobre o junto a su amo y le ronronea con cariño si nota que está triste o preocupado. No molesta en absoluto ni pide nada, solamente desea dar compañía. Es como si dijese: «No te preocupes, no estás solo, yo estoy contigo».

Cómo educar gatos fácilmente

¿Dónde has estado?

Los gatos se comunican en gran parte mediante el olfato (pág. 20). Pero la comunicación entre el gato y las personas es muy distinta, porque la información fluye solamente en un sentido. Nuestro olfato, como mucho, detectará un «mal olor» (principalmente a orina y excrementos) pero no será capaz de entrar en detalle, mientras que cuando el gato olfatea y saluda a su amo es capaz de enterarse de todo lo que ha hecho.

Imaginemos un caso normal y corriente. Una persona llega a casa y su gato sale a recibirle a la puerta con la cola levantada y maullando de felicidad. Pero antes de que el minino se frote contra la pierna de su gran amigo, le olfatea brevemente el zapato. «¡Un momento! ¿Será posible? Éste acaba de pisar una marca olorosa del gato del vecino. Debe estar justo delante de la puerta de la casa. Más tarde tengo que ir sin falta a investigarlo». O bien: «Curioso. No huele a su coche como siempre, sino a algo distinto. ¡Aquí hay algo que no encaja! Esperemos que al menos sepa comportarse con normalidad». Ahora la persona se agacha hacia su gato para corresponderle el saludo acariciándolo cariñosamente. Éste ronronea de gusto, pero al cabo de un instante empieza a hacer ondular la cola de un lado a otro. «¡No es posible! ¡Hace poco ha acariciado a un perro!». El gato se siente muy ofendido y se aparta un poco. Su dueño se sorprende: «¡Vaya! ¿Qué le pasa hoy a mi lindo gatito?». Más o menos así es como nuestros pequeños felinos perciben una infinidad de detalles que a nosotros nos pasan totalmente desapercibidos.

Rápido, rápido, hay que hacerlo ahora, antes de que alguien me pille.

Lo que el gato ha de aprender

Para lograr una buena convivencia es necesario que todo el mundo conozca las reglas del juego y se atenga a ellas. Y en la relación entre una persona y su gato, es la primera la que ha de marcar las reglas –con algunas limitaciones, claro–. Pero es perfectamente posible lograrlo y evitar que el gato haga siempre lo que le plazca. En esto hay que incluir el ritmo diario impuesto por la profesión de su dueño o por el ambiente familiar, algunas normas de higiene y ciertas consideraciones acerca de los muebles y demás elementos del hogar. Todo ello, son cosas que de entrada al gato no le harán ninguna ilusión.

Si el gato se aplica hay que recompensarlo. Pero la recompensa no es necesario que sea comestible, las caricias ya son una buena gratificación.

Por suerte, los gatos son muy adaptables y tienen una gran capacidad de aprendizaje. Así, la labor de su dueño o dueña consiste «solamente» en hacerle ver cómo deberá ser la vida en común. Y para esto, lo más importante es darle a entender al gato que, por favor, ha de aprender a hacer un poco de caso.

Naturalmente, para obtener buenos resultados con un animal tan independiente como el gato es necesario saber tratarlo con sutileza.

Cómo piensan los gatos

Para que las cosas funcionen bien es necesario que empiece por tener muy claro que el gato piensa de un modo muy distinto al de usted. El gato no puede pensar de modo abstracto, es decir, no puede trasladar una experiencia vivida a otra situación distinta. Si usted lo ha expulsado varias veces de la mesa de la cocina, para el gato significará lo siguiente: «Mi ama/o no quiere que salte sobre la mesa de la

RECUERDA

Educar con cariño

No asustar

✔ A un gato que aún se muestre tímido, háblele siempre con voz suave. Evite también que se produzcan gritos o ruidos molestos cerca de él.

Las mismas palabras

✔ Cuando hable directamente a su gato, emplee siempre las mismas palabras y las mismas expresiones.

Sin excepciones

✔ Para su gato, una regla con excepciones no es una regla. Si usted desea que su gato siempre se porte «bien» (que no pida comida cuando usted esté en la mesa, que no se suba a las camas, etc.), deberá regañarle siempre que haga algo malo, sin excepciones.

Respetar sus derechos

✔ Su gato no comprenderá que alguna vez le priven de sus derechos, aunque sólo sea «ocasionalmente», como por ejemplo que no le dejen subirse al sofá cuando hay visitas. Esto le hará sentirse muy disgustado.

Castigos

✔ No pegue nunca a su gato, porque lo único que conseguiría sería destruir la relación de confianza entre ambos. Si encuentra a su minino haciendo algo que le está prohibido, asústelo (pág. 39).

cocina». Pero nunca se le ocurriría pensar que lo mismo se aplica también a la mesa del comedor. Sin embargo, lo que sí se le puede ocurrir es lo siguiente: «Cuando mi ama/o no está en la cocina no hay nada que me impida subirme a la mesa y, desde allí, alcanzar algo bueno para comer». ¡Asuntos de la lógica felina con la que tendremos que aprender a convivir!

Reglas para la educación

Si al educar a su gato sigue algunas reglas elementales muy sencillas, no tardará en tener éxito y su querido felino pronto se convertirá en un miembro más de la familia.

Reaccionar siempre del mismo modo. Si riñe al gato de formas muy distintas como «¡No!», «¡Fuera!», «¡Déjalo!», «¡Maldito gato!», etc., lo único que conseguirá es desorientarlo por completo. Emplee siempre la misma expresión, como por ejemplo «¡No!» y su gato enseguida sabrá a qué atenerse.

Reacción inmediata. El gato solamente relaciona una mala experiencia con algo que ha hecho en ese preciso instante. Si usted le riñe media hora después de haberle robado una salchicha, cuando ya está haciendo tranquilamente la digestión acostado en su cesta, él solamente relacionará su enfado con el hecho de estar en su cesta, y esto le irritará bastante. Si usted descubre alguna travesura demasiado tarde, por esa vez no va a tener más remedio que tragar bilis y aguantarse con el único propósito de no darle al minino ninguna posibilidad de volver a repetirlo en el futuro.

Premiarlo cuando se porta bien. Los gatos no hacen nada por pura generosidad o para complacer a su dueño, lo único que les estimula es la recompensa. Y ésta no tiene por qué ser siempre algo comestible, también le encanta que lo acaricien o que jueguen un rato con él. Ocúpese de que a su gato «le salga a cuenta» portarse bien en casa.

Sea consecuente y riguroso. Lo más importante a la hora

SUGERENCIA

La educación en la práctica

- Cuando el gato se porte bien, felicítele con una golosina o acariciándolo.
- Ríñalo solamente mientras esté haciendo algo que le esté prohibido.
- Cuando el gato esté haciendo algo malo, asústelo dando palmadas. ¡No le pegue nunca!

Los gatitos deben aprender desde muy pequeños el significado de la expresión «¡No!».

de educar a un gato es ser consecuente con las reglas ya establecidas y no desviarse nunca de ellas. Por ejemplo, ningún gato comprenderá que, si tiene absolutamente prohibido subirse a las camas, hoy pueda hacer una excepción porque usted está enfermo y tiene ganas de acariciarlo. Bastará con que haga solamente una vez una excepción, por muy evidente que sea para usted, para que su gato lo interprete como que se han levantado las prohibiciones vigentes hasta ahora. ¡Menudo problema si a la próxima oportunidad resulta que las viejas reglas recobran su vigencia!

Para educar a un gato hay que mantenerse firme y ser consecuente. Lo que hoy está permitido no puede prohibirse mañana.

El asunto de los castigos

Los castigos son un punto muy delicado en la educación del gato. Por una parte, porque es difícil saber que el animal realmente se da cuenta de cuál es el motivo por el que se le castiga. Y por otra, porque el gato puede reaccionar mostrándose cada vez más desconfiado hacia usted, especialmente si los castigos son frecuentes.

Por tanto, lo mejor es no llegar nunca a las manos. Es preferible asustarlo con un grito o palmeando con las manos en el momento en que lo encontremos in fraganti. También puede ser eficaz asustarlo con el chorrito de una pistola de agua. Lo ideal sería que el gato no relacionase el castigo directamente con usted, sino con el lugar que le está prohibido. Para el minino, la situación sería la siguiente: mientras está afilándose a conciencia sus uñas contra el sofá, le cae por sorpresa un chorrito de agua que no sabe de donde viene: ¡es el sofá que se defiende porque no le gusta que lo arañen!

Recuerde que los castigos solamente serán efectivos si los aplica en el momento en que sorprende a su minino con las manos en la masa. No sirve de nada castigarlo por algo que ha hecho hace un rato, así nunca conseguiría educarlo.

Cuestiones acerca del comportamiento y la educación

A mis gatas «Lilly» y «Minni» les encanta mordisquear una preciosa palmera de interior que tengo en casa. ¿Qué puedo hacer para evitarlo?

Los gatos necesitan comer hierba y otras plantas verdes para purgarse y para facilitar la digestión. Así evitan que en su tracto digestivo lleguen a acumularse bolas de pelo, con todos los problemas que ello les podría acarrear. Cuando llegan al estómago, estas partículas vegetales les ayudan a vomitar el material indigerible que allí se ha acumulado. Así expulsan todos los pelos que han ido tragándose al limpiarse la capa. Lo mejor será que a sus gatas les ofrezca una alternativa que les parezca más apetecible. En las tiendas de animales venden una hierba especial para gatos. Aunque, de todos modos, eso nada le garantiza completamente que vayan a dejar en paz a sus plantas de interior. Muchos gatos se aburren dentro de casa y se buscan «ocupaciones» para no estar ociosos durante todo el día, destrozar las plantas podría ser una de ellas.

¿Existen nombres que les sean más fáciles de aprender a los gatos que otros?

Sí, los hay. A nuestros pequeños felinos domésticos es recomendable ponerles nombres de dos sílabas, como por ejemplo Pussy, Tobi, Mixus o Charly. Los gatos los aprenden con facilidad porque los distinguen de las órdenes monosilábicas que solemos emplear con ellos, como «¡Ven!», «¡No!». Y para nosotros también son más fáciles de pronunciar que los de tres o cuatro sílabas.

Mi gato «Billy» tiene prohibido pasearse por encima de la mesa. Y cuando yo estoy en casa, nunca lo hace. Pero me parece que cuando me voy él aprovecha mi ausencia para pasarse por alto todas las prohibiciones. ¿Qué puedo hacer?

Cuando salga de casa, deje sobre la mesa algunas tiras de cinta adhesiva de doble cara. Los gatos detestan que algo se les pegue a las patas. Si su

Apropiación temporal: todo lo que no esté expresamente prohibido, está permitido.

«Billy» sufre en carne propia la experiencia de que las patas se le peguen a la mesa, en el futuro ni se le ocurrirá volver a acercarse por ahí. De todos modos, es mejor que siga tomando esas precauciones durante dos meses hasta estar seguro de que su gato realmente ha comprendido la relación que hay entre el adhesivo y la mesa.

A nuestro gato «Coco» le encanta arañar las patas de las sillas, hasta el punto de que nuestro mobiliario cada día tiene un aspecto más penoso. ¿Hay algún modo de hacer que «Coco» se mantenga alejado de las sillas?

En la página 23 ya he descrito lo importante que es para los gatos poder marcar bien su territorio. Por este motivo, es imprescindible que dentro de casa dispongan de un arañador o de un árbol para trepar (pág. 57). Pero a veces los gatos no se conforman con eso y siguen arañando otros objetos para marcarlos, que es lo que hace el suyo con las patas de las sillas. Pruebe de emplear un spray de feromonas (de venta en las tiendas de animales). Estas sustancias son similares a las que segregan los gatos cuando frotan su cabeza contra un objeto o contra un congénere. Dado que los gatos siempre suelen marcar un lugar del mismo modo, a partir de ahora lo único que hará su gato con las sillas será frotarlas con su suave cabecita, pero no con sus afiladas uñas.

En nuestra terraza tenemos muchas jardineras con plantas. Nuestros tres gatos no las mordisquean, pero tienen la mala costumbre de emplear las jardineras para hacer en ellas todas sus necesidades. ¿Hay algún modo de evitarlo?

Lo importante es que en la casa haya una cubeta para cada gato, y que siempre esté bien limpia. Pero si, de todos modos, sus animales se empeñan en emplear las macetas para hacer sus necesidades hay un par de cosas que puede hacer para disuadirlos: esparza sobre la tierra un poco de cebolla triturada, pimienta negra molida o ajo. Los gatos siempre olfatean la tierra antes de defecar, y los aromas de todas estas especias les resultan sumamente desagradables. También puede cubrir la tierra con gravilla gruesa, cantos rodados o una lámina de plástico.

MIS CONSEJOS PERSONALES

Helga Hofmann

Armonía en sus relaciones con los gatos

- La mayoría de los malentendidos entre el gato y su dueño se deben a situaciones en las que el minino protesta por algo. Encárguese de que, a ser posible, su gato no tenga ningún motivo de queja.
- Jugar con frecuencia a perseguirse y capturarse ayuda a que el gato pueda desfogar a conciencia su instinto de caza, así no se sentirá reprimido.
- Los gatos necesitan una cierta rutina en su vida cotidiana. Evite que se produzcan demasiados cambios en los horarios o en el entorno.
- Intente, por una vez, verse a sí mismo y a su casa desde el punto de vista del gato. Seguro que así podrá comprenderlo mucho mejor.
- Para educar a un gato es imprescindible ser constante y consecuente con lo que se hace. Si el gato muestra «malos modales», empiece por analizar el modo en que lo está educando.

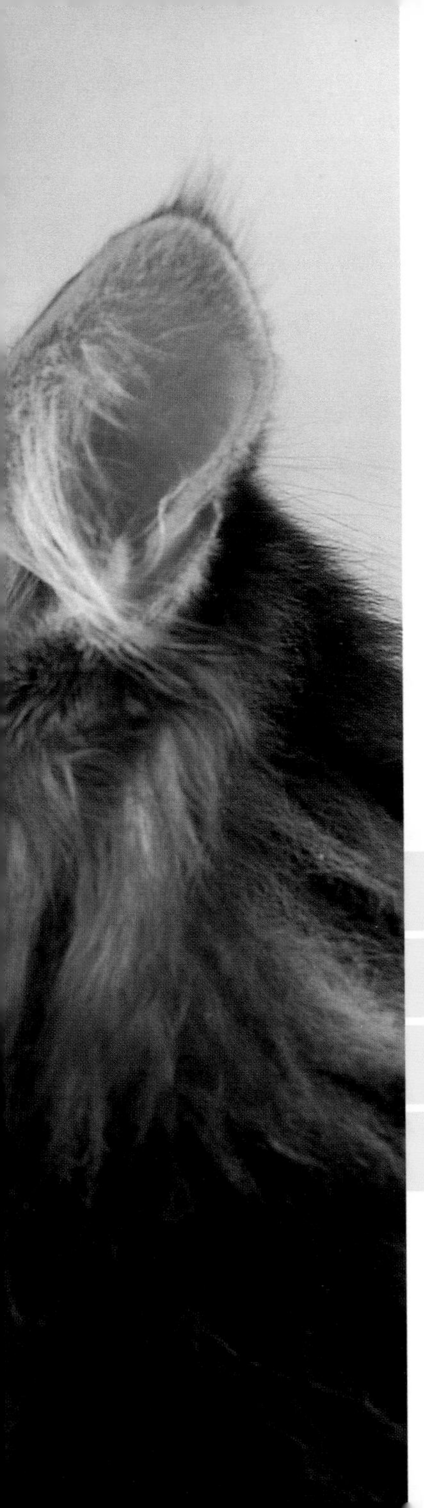

Cómo nos hablan los gatos

«Miau» en todas sus variantes

Los gatos adultos pueden llegar a comprenderse muy bien entre sí. Comparado con esto, si un gato quiere hacerse entender por las personas se ve obligado a expresarse con mucha claridad.

Mirando fijamente a la puerta, el gato nos indica que quiere que le dejemos salir.

«Mamá» persona

Los maullidos pertenecen al lenguaje infantil de los gatos, los adultos no los emplean para comunicarse entre sí (pág. 6). Pero su dueño, el que le proporciona siempre la comida, le soluciona todos los problemas y cuida constantemente por su bienestar, es para el minino una especie de «supergato», algo así como lo que era su madre cuando él era un gatito bebé. Por tanto, es perfectamente lógico que el gato emplee con su dueño el mismo tipo de lenguaje que empleaba para comunicarse con su madre. Pero hay una pequeña diferencia: la gata siempre estaba pendiente de sus gatitos, mientras que la persona que lo cuida suele estar casi siempre ocupada con otras cosas y no le presta demasiada atención (o hace ver que no se la presta). Por lo tanto, no deberá extrañarnos si el gato nos manifiesta sus necesidades con una cierta insistencia. Si tiene experiencia en convivir con gatos seguro que alguna vez le habrá pasado algo así: Usted está cómodamente instalado viendo la tele cuando oye un ligero «mau» al otro lado de la puerta de la terraza. Una y otra vez. «Mixus» está llamando a la puerta. A partir del cuarto «mau» ya eleva un poco el tono, y a partir del décimo empieza a deletrear la palabra «¡Mii-au!». Una corta pausa y empieza a dar unos aullidos desgarradores que hacen vibrar los vidrios de la ventana.

SUGERENCIA

Prohibido pedir a la mesa

- Dé de comer a su(s) gato(s) por la mañana y por la tarde, antes de que usted se siente a la mesa.
- No ponga el comedero del gato cerca de la mesa, y preferiblemente tampoco en la cocina.
- Si alguna vez le da al gato algo de lo que usted está comiendo (como una cucharadita de yogur, un poco de queso, un trocito de jamón, etc.), no se lo eche bajo la mesa. Póngaselo en el comedero.

Usted se levanta alarmado (¡Dios mío, seguro que el perro del vecino está persiguiéndolo otra vez!), corre hacia la puerta, y la abre rápidamente para rescatar a su pobre gatito. Entonces es cuando éste entra tranquilamente en la casa, se frota cariñosamente contra su pierna y se dirige lentamente hacia su sofá favorito. ¡Sabe perfectamente lo que hace! Ya hace tiempo que aprendió que para que su dueño haga lo que él desea basta con gritar lo suficientemente fuerte.

Ponerse panza arriba: un saludo y una señal de confianza.

Pedir comida

El «miau» original aparece en escena cuando mamá gata regresa a casa después de una cacería y su prole la saluda impaciente. Los hambrientos gatitos están impacientes por deleitarse con el ratón que seguramente habrá cazado mamá y solamente se callarán cuando puedan hincar el diente a tan sabroso manjar. Su gato (adulto) teóricamente ya debería ser capaz de cazar ratones por sí mismo, pero dado que usted desempeña el papel de suministrador de alimentos, el minino acepta gustosamente el otro papel, el del gatito que pide que le den de comer. Y en él se incluye también el corretear con la cola levantada, todo el repertorio de adulaciones, el correr hacia el comedero y, naturalmente, maullar, maullar y maullar.

Las personas no suelen ser capaces de soportar durante mucho rato todo este repertorio de peticiones gatunas. Dejando a un lado cualquier tipo de principios educativos, llega un momento en que acabamos por sentir lástima por ese pobre gatito «medio muerto de hambre» o, según las circunstancias, nos empiezan a flaquear los nervios.

Entonces es cuando usted va y abre la lata de comida. Y el

RECUERDA

«Lenguaje gatuno»

El gato no para de golpear el pomo de la puerta

✔ «Abre la puerta de una vez. Quiero salir».

Está fuera y salta contra la ventana

✔ «¡Quiero entrar! Aquí seguro que me verás. ¡Abre de una vez!».

Le coloca su juguete favorito ante los pies

✔ «Por favor, juega conmigo. Por favor, por favor».

Maúlla con insistencia como si fuese un disco rayado. No para

✔ «Te voy a poner de los nervios hasta que me des de comer».

Se estira completamente junto a sus pies

✔ «Me gustaría taaanto que me acariciases».

minino tiene lo que quería. Y éste no tardará en darse cuenta de lo efectiva que llega a ser esta táctica, especialmente fuera de las horas habituales de comer, cuando surge algún delicioso aroma de la cocina o cuando hay algo bueno en la mesa. Para ser capaz de enfrentarse a estas estrategias felinas es necesario tener los nervios muy bien templados. Pero si usted es como la mayoría de los mortales, no tardará mucho en tener en casa un gato mal educado y pedigüeño. Con los gatos sucede como con los niños: tienen una asombrosa facilidad para aprender exactamente aquello que no deberían.

¡Al final lo ha entendido!

Los gatos no se expresan sólo verbalmente, sino que recurren también a todo tipo de gestos para lograr que «su» ser humano comprenda exactamente cuáles son sus deseos. Y son especialmente hábiles para gesticular de forma que hasta el más inepto de los humanos sea capaz de comprenderlos. Por ejemplo, cuando nuestro gato «Tobi» quiere que le abramos la puerta, se coloca ante ella y ronronea con fuerza mientras se mueve a lo largo. Pero no mira a la puerta que quiere que le abramos, sino que dirige su mirada directamente hacia mí por encima de su hombro. ¡Y vaya mirada! Después de algunos ronroneos, aumenta el tono para destacar aún más sus gestos. Pero solamente si lo ignoro del todo y me aparto de su campo visual se atreverá a tomar la iniciativa por su cuenta y saltará hacia el pomo de la puerta para abrirla. Muchos gatos emplean el método de dar pena para conseguir que su dueño o dueña comprendan qué es lo que desean. Se sientan ante la puerta y ronronean o maúllan hacia el pomo de la misma. Naturalmente, no esperan que la puerta se abra por sí sola, sino que fijan la

> *Cuando el gato ya no quiere más caricias suele tener que dar un bufido para hacerse entender.*

mirada en el pomo para indicar a su dueño qué es lo que le están rogando que haga.

Algunos felinos clavan su mirada en el grifo del agua hasta que alguien de la familia lo abre un poco para que el minino pueda beber o empiece a disfrutar jugando con el chorro del agua. Otros miran fijamente esa mantita que quieren que alguien les desdoble, o la esquina de la alfombra que desean que les enrollemos en forma de tubo para jugar al escondite. Sus miradas pueden ser tan expresivas...

¡Por favor, mimos!

Otra inconfundible muestra de amistad es cuando su gato le lanza una mirada cariñosa y esperanzadora, emite quizá un par de leves murmullos, se estira en el suelo ante sus pies y se da la vuelta para mostrarle su barriguita, lo cual significa: «Ahora me gustaría que me acariciaran un poco». Y está muy claro dónde le gustaría ser acariciado: en la parte que le está mostrando. Pero enseñar la barriga no siempre es una invitación para que lo acaricien. Si usted se aproxima a su gato cuando está durmiendo la siesta, si todavía está demasiado adormilado como para saludarle es probable que se limite a ponerse panza arriba y bostezar un par de veces. Traducido a palabras: «¡Hola, amigo! Fíjate bien, te enseño mi barriga. Esto significa que confío tanto en ti como para ponerme en una posición en la que estoy totalmente indefenso». Es decir, se trata de una muestra de confianza de primera categoría, combinada con un saludo algo perezoso. Pero precisamente porque el gato en esos momentos lo que desea es seguir durmiendo, no le apetece nada que le rasquen la barriga ni que lo acaricien. Si usted insiste, es probablemente que él recurra a sus uñas para ayudarle a comprenderlo mejor.

¿Su gato tiene personalidad?

	Sí	No
1. Cuando su gato quiere que le abran la puerta, ¿se pone a maullar y a ronronear junto a ella?	☐	☐
2. Cuando su gato quiere que lo acaricien, ¿salta sobre su regazo?	☐	☐
3. Cuando su gato tiene hambre, ¿maúlla ininterrumpidamente y se frota contra sus piernas hasta que usted le llena el comedero?	☐	☐
4. Usted está leyendo el periódico. Pero su gato quiere jugar y le trae un juguete. ¿Salta sobre su regazo o sobre su periódico para incitarle a jugar con él?	☐	☐
5. Cuando tiene ganas de mimos, ¿se estira completamente ante sus pies?	☐	☐
6. «Déjame entrar». Su gato salta desde fuera para colocarse en el alféizar de la ventana. «Aquí seguro que me verás».	☐	☐

Puntuaciones: Un «sí» para todas las preguntas: su gato sabe muy bien lo que quiere y cómo puede hacer que los demás lo entiendan. Algunos o muchos «no»: su gato es algo tímido o tiene poca confianza en sí mismo.

Expresiones muy claras

Estirarse a los pies

Algo se aproxima sigilosamente a sus pies, el gato se frota contra su pierna. Usted lo mira y ve que a su lado está la pelotita de papel con la que ayer por la tarde estuvieron jugando por toda la casa. Su querido felino la ha encontrado por algún rincón y se la ha traído con un propósito muy claro.

> **SUGERENCIA**
>
> **¡Cuidado! ¡Gato!**
>
> - Muchas veces, los gatos se nos acercan silenciosamente por detrás. Un paso en falso hacia atrás podría lesionar al minino.
> - Vaya también con cuidado si está trabajando sentado en una mesa con ruedas. Su gato podría estar descansando exactamente detrás de usted.
> - Si tiene gatitos en casa deberá acostumbrarse a andar siempre con mucho cuidado.

Más clara no puede ser su intención de seguir jugando con usted.

Todos sabemos que a los perros les encanta jugar a que les lancemos un palo o una pelota para que vayan a recogerla y nos la traigan, pero a muchos gatos también les gusta este juego. Tanto si se trata de un ratón de peluche, de un tapón de corcho o de una bolita de papel, no son pocos los gatos que disfrutan de lo lindo trayendo todo aquello que les tiremos.

¡Por favor, hazme caso!

Los gatos pueden recurrir a muchísimos métodos para llamarle la atención. Maullar es uno de ellos, y frotarse alrededor de sus piernas es otro. Aún más claro, e incluso tranquilizante, es cuando su gato se sienta a su lado, le mira con cariño y le pone una patita sobre la pierna. Esto casi siempre surte efecto. ¿Quién es capaz de resistirse a semejante petición de cariño? Otra modalidad más directa de efectuar la aproximación consiste en saltar de un brinco sobre el regazo de su amo. Así seguro que no pasa desapercibido, y normalmente también recibirá las caricias que desea.

Por supuesto, a veces estas aproximaciones del minino se nos pueden hacer un poco pesadas. Especialmente si no cesa en sus intentos a pesar del evidente rechazo de su dueño en esos momentos.

Al minino no le importaría nada que lo cogiesen en brazos para dejarse querer.

1 Miradas tiernas

De esta forma tan sutil es como su gato le pide que le preste un poco más de atención. Normalmente, sus uñas permanecen retraídas.

2 Frotarse contra las piernas

El gato se aprieta contra las piernas manteniendo la cola levantada. Lo mismo hacen los gatitos cuando le piden a su madre que les dé de comer.

3 Enseñar la barriguita

El gato se estira a sus pies colocándose panza arriba. Le está pidiendo que le acaricie en la parte que le muestra.

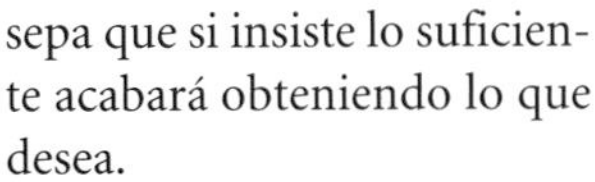

Los gatos no sólo tienen una paciencia legendaria, sino también una tozudez y una capacidad de insistir igualmente sorprendentes. En vez de enfadarse con él, lo que ha de hacer es intentar ver la situación desde el punto de vista del gato. Él no puede llegar a comprender que «su» persona favorita realmente lo quiere, pero que en estos momentos no puede estar por él porque tiene otras cosas más urgentes que solucionar.

Tener consideración no es uno de los puntos fuertes del minino. A los ojos de su gato usted es una persona realmente difícil de comprender, pero es muy probable que por experiencias anteriores sepa que si insiste lo suficiente acabará obteniendo lo que desea.

Si su gato insiste en sus esfuerzos para contactar con usted, solamente hay algo que pueda hacer: no ponerse nervioso y ser cariñoso con él. Después de todo, su felino no pretende molestarle, sino al contrario, le está demostrando que se siente muy ligado a usted y que disfruta de su compañía. Es importante saber tratarlo con tacto. Según la situación, levante al gato de su regazo y vuelva a dejarlo cariñosamente en el suelo y salga de la habitación o déjelo en el exterior. Aunque ahora el minino parezca sentirse ofendido, no obtendrá nada más de usted. Lo importante es que cuando pueda le dedique mucho tiempo para mimarlo, acariciarlo y para jugar con él.

Igual que con mami

¿Puede existir una relación más íntima que la de una madre con su bebé? En absoluto, y la sensación de calor y confort en la proximidad de la madre la sienten tanto los gatitos como los bebés humanos. Para nuestros gatos domésticos, nosotros no solamente desempeñamos el papel de la madre cuando les llenamos el comedero, sino también cuando los acariciamos en nuestro amplio y confortable regazo. Así, incluso el

gato más grande y dominante se siente como un gatito. ¿Que cómo lo sabemos? Sencillamente, porque se comportan así.
Cualquiera que tenga gatos habrá vivido esto alguna vez: el gato se instala cómodamente en su regazo y, ronroneando suavemente, empieza a rascarle con sus patas de-

A veces, después de limpiarse el pelaje se le olvida la lengua fuera.

lanteras. Con un movimiento lento y rítmico, sus patitas le van presionando alternativamente el vientre o el muslo. A medida que aumenta la presión de este masaje, recibe una punzante sensación que le recuerda que las patitas de su minino están dotadas de unas fuertes uñas. Y esto hace que en verano, cuando tendemos a llevar una ropa más ligera, nos apetezca menos juguetear con nuestros simpáticos felinos.
Si observamos a los gatitos que se esfuerzan por mamar de su madre, veremos que se comportan de la misma manera. Los gatitos masajean con sus patitas el pecho de su madre para estimular el flujo de leche. Es su modo de hacer que se abra la cantina. Al mostrarse muy confiado y comportarse como un gatito, lo que el gato pretende es indicar a su dueño que se siente muy feliz de estar con él. Pensemos por un momento lo incomprensible y decepcionante que ha de resultarle ver que lo rechazamos. ¿Cómo puede adivinar que su «madre adoptiva» lo rechaza o lo vuelve a poner en el suelo únicamente porque su fina «piel» es demasiado sensible a las uñas? Los verdaderos amantes de los gatos aprenden a reprimir su reacción si reciben algún que otro arañazo cuando juegan con sus felinos. Otra buena solución, y menos dolorosa, consiste en cubrirse el regazo con una manta. Cuanto más gruesa, mejor. Su gato también se sentirá más confortable porque le recordará el pelaje de su madre. Y usted podrá disfrutar mucho más de su mascota sabiendo que está a salvo de arañazos inesperados.

Lamer las manos

Otra muestra de simpatía por parte de su gato es que le lama la mano u otras partes del cuerpo.

SUGERENCIA

Chupar la ropa

- Si su gato le chupa la ropa cuando juega con él, no le riña. Lo que pasa es que su felino se siente como un gatito e intenta mamar de su madre adoptiva.
- Deje que su gato se entretenga con algún viejo jersey de lana o con una toalla de mano usada.
- Si el chupar se convierte en hábito, puede deberse a que el gato se aburre o a que se siente abandonado.

Los gatos siempre procuran mantenerse a una distancia prudencial de los perros extraños. Pero si conocen bien al perro, o han crecido juntos desde pequeños, pueden llegar a ser unos excelentes amigos.

De hecho, los gatos adultos saben encargarse perfectamente del cuidado de su propio pelaje, pero en algunos casos también pueden limpiarse unos a otros. La gata lame, limpia y masajea a sus gatitos, y los hermanos suelen limpiarse también unos a otros, conservando esta costumbre de la limpieza mutua hasta llegar a adultos. Pero este cuidado recíproco y amoroso también se da entre gatos que, sin estar emparentados entre sí, hayan crecido juntos desde pequeños y mantengan una estrecha relación social. Generalmente se limpian unos a otros una zona situada detrás de las orejas y a la que les es especialmente difícil llegar con su propia lengua.

Junto a la limpieza del pelaje, estos cuidados desempeñan sobre todo la función de confirmar y consolidar la relación de amistad entre los animales. Y es exactamente en este contexto en el que debemos interpretar al gato cuando, durante la sesión de mimos y caricias mutuas, se empeña en «limpiar el pelaje» de su dueño o dueña con todo su cariño. Y le es totalmente igual si lo que lame es su piel desnuda o un grueso jersey de lana. De lo que se trata no es de limpiar, sino de expresarle muy claramente: «¡Amigo, me encanta estar contigo!».

Cuando se altera la armonía

Por muy buena que sea una relación, siempre hay momentos en que se producen malentendidos. ¿Y por qué tendría que ser diferente entre una persona y su gato? Pero si observa bien su comportamiento y tiene un poco de sensibilidad llegará a comprender mucho mejor al animal. Así la convivencia será mucho más tranquila.

Cuando el gato enseña sus uñas suele tener algún buen motivo para hacerlo.

¿Desagradecido y huraño?

¿Qué amigo de los gatos no ha pasado por esta situación? Su felino se estira en el suelo ante sus pies y le muestra su redondeada barriguita. Usted accede gustosamente a rascársela y su pequeño tigre ronronea de placer. Naturalmente, esto le anima a seguir rascando y acariciando la barriga gatuna.

Al cabo de un rato, el gato le ataca rápida y súbitamente clavándole las uñas en la mano y dándole a continuación un doloroso mordisco.

En vez de reñir al «desagradecido animal», cúlpese a usted mismo por no haber prestado atención. No se habrá dado cuenta de que su gato le estaba indicando que ya tenía bastante por hoy: los movimientos de cola, las orejas giradas hacia los lados, las pupilas contraídas. Todas estas muestras de lenguaje corporal significan lo mismo: «¡Ya basta por ahora!». El hecho de que mueva la cola como un látigo expresa que el gato siente un conflicto interno. Por una parte no le desea nada malo a su amigo humano, pero por otra ya empieza a estar harto de sus caricias. Al final llega un momento en que el equilibrio se rompe, se decanta hacia un lado y el gato se defiende.

Regalitos

Si un buen día su dulce minino le trae un ratón decapitado o un pájaro destripado y sangrante y se lo deja ante la puerta, junto a sus pies o, peor aún, sobre la cama, es poco probable que usted se muestre entusiasmado con su regalito. Pero, en realidad, su gato no podría hacerle ningún regalo más generoso. Normalmente los gatos no comparten sus presas con los demás, solamente las gatas traen alimentos para sus gatitos. Como ya hemos indicado anteriormente, entre usted y su gato adulto existe una verdadera relación materno-filial en la que generalmente el gato hace de hijo, pero a veces también le gusta invertir los papeles para mos-

Los malentendidos más frecuentes

«Comportamientos anormales» y lo que realmente significan	
Se ensucia	Inseguridad o protesta contra cambios efectuados en la casa, alteraciones familiares, celos, soledad, traslados; cubeta sucia, ubicada en un lugar poco adecuado, arena que no le gusta, enfermedad (por ejemplo, infecciones de la vejiga).
Rompe objetos o mobiliario	Aburrimiento (pasa demasiado tiempo solo, tiene pocas oportunidades para jugar con su dueño o con otros gatos).
Ataca a las personas	No puede satisfacer sus instintos de caza y de lucha; recuerda alguna experiencia desagradable relacionada con la persona a la que ataca y a la que el gato considera (errónea o acertadamente) culpable.
Araña las alfombras y las tapicerías	Es su forma habitual de marcar el territorio si carece de un arañador o de un árbol para ejercitar sus uñas.
Desprecia la comida que le damos	Se siente inseguro por la pérdida de algún miembro de la familia (puede ser su persona de confianza o bien otro gato), se siente sometido a presión por la presencia de un nuevo gato, protesta porque no le gusta el alimento de esa marca; puede ser el primer síntoma de alguna enfermedad o dolores causados, por ejemplo, por una infección de encías.
Súbitamente, se pasa por alto las normas de la casa	Al hacer alguna excepción a una de las reglas establecidas, el gato considera que se levantan las prohibiciones.
Trae ratones muertos a casa	«Regalos» para su dueño como señal de que siente un profundo aprecio por él.
Juega «cruelmente» con presas aún vivas	Reacción habitual en caso de tener el instinto de caza muy reprimido y no haberse podido desfogar lo suficiente (ha capturado a su presa con demasiada facilidad y desea seguir el «juego»).
De repente, muerde o araña la mano que le acaricia	Es su forma más clara de expresar que ya no quiere que le sigan acariciando.
No se limpia el pelaje o lo tiene bastante descuidado	El gato se encuentra mal o está enfermo (llévelo al veterinario lo antes posible); también puede ser que el gato esté demasiado obeso y le cueste mucho acceder a todo su cuerpo (ponerlo a dieta, obligarlo a hacer más ejercicio).
Excava en las macetas y en los parterres del jardín	No dispone de ninguna cubeta para hacer sus necesidades, o la que tiene está muy sucia.
Se comporta como si se hubiese vuelto loco, grita, quiere salir	Si se trata de una gata sexualmente madura está muy claro: está en celo.

trar lo unido que se siente a su dueño(a).
Por tanto, es él quién le trae la comida. Piense en lo decepcionante que debe ser para el gato ver que usted desprecia su aportación o que incluso le riñe por lo que ha hecho. En consecuencia, ¡trátelo con cariño! Felicite y acaricie a su gato, vaya con él a otra habitación y haga desaparecer su regalo disimuladamente en el cubo de la basura.

Cuando un gato busca refugio suele ser porque tiene remordimientos por haber hecho «algo malo».

¿Alteraciones del comportamiento o llamadas de auxilio?

A veces sucede que después de llevar varios años de perfecta convivencia con el gato, éste empieza a hacer cosas que resultan insoportables para su dueño. Generalmente, estas alteraciones bruscas del comportamiento hay que interpretarlas como llamadas de auxilio por parte del gato.

Falta de limpieza. Si nuestra mimosa «Pussy» empieza a hacer sus necesidades en la alfombra, sobre la cama o en el sofá, lo más probable es que haya algo que le impida usar su cubeta habitual. Puede ser que no esté lo suficientemente limpia, que la esté empleando otro gato, que le haya cambiado el tipo de arena y que al animal no le guste la nueva marca, o también que esté en un lugar que no le convence, que sea demasiado pequeña, o que le haya puesto una cubierta de la que antes carecía. Cuando su cubeta vuelva a estar en un estado aceptable (para el gato), seguro que volverá a hacer uso de ella.

Marcar con orina. Si el gato solamente orina en lugares muy concretos de la casa, tanto si lo hace en el suelo como si salpica la orina con la cola levantada, suele ser señal de que el animal no se siente seguro en su nuevo hogar. Marcando de la forma más intensa que puede, no sólo señala el territorio que da por supuesto que le pertenece, sino que además obtiene una mayor sensación de seguridad. Es como si pensase: «Si un lugar huele tan intensamente a mí es señal de que yo soy su amo y señor».

Compruebe si en la casa se ha efectuado algún cambio que

SUGERENCIA

Juguetes contra el aburrimiento

- Los gatos, y especialmente aquellos que no salen al exterior, necesitan algo que los mantenga ocupados.
- Los juguetes para gatos no es necesario que sean caros. Una bolita de papel arrugado, un tapón de corcho o un carrete de hilo vacío son unos magníficos «ratones».
- Una caja de cartón vacía, puesta del revés y con un par de «ventanas» será un magnífico escondite.
- Podemos proporcionarle una buena «presa» atando a un cordel algunas plumas, hilos de lana o trozos de papel, y dejando que cuelguen cerca del suelo.

pueda hacer que el gato se sienta inseguro. ¿Un bebé? ¿Vive alguna persona nueva en la casa? ¿Tenemos otro gato nuevo? ¿Ha renovado el mobiliario o se ha cambiado de casa? Si usted no puede cambiar las circunstancias, preste más atención a su gato y ayúdele a integrarse de nuevo en su hogar.

Como perro y gato

El gato «Konstantin» mira con desconfianza al pequeño teckel. ¿Cómo es que este tipo se atreve a entrar en mi territorio, a meterse en mi casa? ¿Deberá él, «Konstantin», compartir su territorio o será mejor que se esfume? Se siente indeciso y mueve la cola de un lado a otro como un látigo. El teckel, «Xispa», está de buen humor y tiene ganas de jugar. En cuanto encuentra a su posible compañero de juegos, que le saluda amistosamente moviendo la cola, corre hacia él moviendo también la suya. Al llegar junto al gato, levanta la pata para invitarlo a jugar y, para su sorpresa, el felino también alza la suya. Y ¡zas! unas afiladas uñas le dejan sus huellas en el hocico a la vez que una pequeña fiera sale dando bufidos para subirse al armario de un salto. Los malentendidos no sólo pueden surgir entre el gato y las personas, sino también entre animales de distintas especies. Mover la cola de un lado a otro y levantar una pata delantera tiene un significado muy distinto en el lenguaje de los perros que en el de los gatos. Afortunadamente, ambos animales aprenden con gran facilidad y pueden acostumbrarse muy bien a vivir juntos.

¿Sabrá el ratón lo que significa la posición en la que el gato ha puesto sus orejas?

Cuestiones acerca de las relaciones con los gatos

«Mimí» no es capaz de comprender que los domingos mi marido y yo prefiramos levantarnos algo más tarde. Se pone a maullar ante la puerta del dormitorio y la araña hasta que no podemos aguantarlo más y nos levantamos. ¿Es posible evitar que lo haga?

Los gatos son animales de costumbres y les cuesta mucho comprender las excepciones. Después de todo, el gato no puede saber que se trata de una excepción y que luego las cosas volverán a ser como antes. Solamente sabe que hay algo que ha cambiado. Por tanto, al minino le resulta muy desagradable que durante el fin de semana el despertador no suene a las seis y que a las siete no tenga su comida en el plato. Lo que esos dormilones humanos creen que es una tiranía por parte del gato, no es más que el resultado de una correcta reacción lógica del felino. Si su mascota tiene complejo de despertador no tendrá más remedio que aprender a convivir con ella. Si usted se levanta cuando su gato se lo pide, le proporcionará una sensación de triunfo que se le grabará muy profundamente. Lo mejor será que permanezca en la cama hasta que el minino se dé por vencido. Con el tiempo, ajustará su reloj biológico de modo que después de cinco días de madrugar sabrá que vienen dos en que se desayuna más tarde.

Mi gata «Corry» casi nunca sale de casa. A veces se muestra tan insolente que me muerde los tobillos. ¿Qué puedo hacer?

Este comportamiento aparentemente agresivo no suele ser más que una forma de satisfacer su instinto de caza. Después de todo, nuestros felinos domésticos han sido, son y seguirán siendo predadores. Si su vida cotidiana es demasiado «doméstica» e incluye pocos momentos de acción, sus necesidades de ejercitarse, de cazar y de pelearse se van reprimien-

Una buena limpieza gatuna varias veces al día. Es imprescindible disponer de tiempo para algo tan importante.

do y estallan en el momento y lugar menos oportunos. En este caso, los tobillos son un buen sustituto. La única solución es hacer que el gato lleve una vida más activa. Juegue mucho con él, especialmente a perseguirse e intentar cazarse el uno al otro. Le encantan los juegos de habilidad. Si usted está muy ocupado o pasa muchas horas fuera de casa, la solución puede ser adquirir otro gato.

? Mi «Pussy» prefiere afilarse las uñas en la tapicería del sofá que en su arañador. ¿Por qué no le hace ni caso?

Puede haber varias causas. Es posible que el arañador se mueva cuando el gato salta contra él, quizá no esté bien sujeto, o es posible que no esté en un lugar de su agrado. A los gatos les gustan los arañadores recubiertos de cordel de cáñamo. También les encantan los troncos de árbol de madera blanda y con una gruesa corteza. Sitúe el arañador de forma que el gato lo tenga muy cerca cuando se despierte. Sujete el arañador a la pared de modo que el gato tenga que estirarse cuando quiera afilarse las uñas. Puede hacérselo más interesante a base de ponerle una bolsita con hierba gatera.

? Cada vez que nos sentamos a la mesa, nuestra gata «Mixus» se acerca a pedir que le demos algo. Para poder comer en paz, siempre le damos algo. Pero ahora ha engordado demasiado y queremos que deje de pedir, pero, ¿cómo?

No va a ser fácil conseguir que «Mixus» deje de mendigar, y le va a poner sus nervios a prueba. Lo mejor será que ignore por completo sus formas de pedir, aunque reaccione desplegando todo su repertorio de maullidos. ¡Manténgase firme! Llegará un momento en que su gata acabará por ceder.

? De repente, nuestro gato «Tigre» se ha vuelto sucio, a pesar de que en su entorno no se ha producido ningún cambio. Y su cubeta siempre está bien limpia. ¿Cómo se explica su comportamiento?

Es muy posible que su gato esté enfermo. Una de las causas más frecuentes de que el gato empiece a ensuciarse es que sufra una infección de la vejiga. Llévelo al veterinario lo antes posible. Es el único que realmente podrá hacer algo por él.

MIS CONSEJOS PERSONALES

Helga Hofmann

Problemas de higiene

- Si el gato de repente deja de utilizar su cubeta puede deberse a que haya sufrido alguna mala experiencia al ir a ella (cogerlo, asustarlo, etc.) y, por tanto, procure evitarla.
- Es posible que la cubeta esté demasiado sucia, que contenga una arena que al animal no le guste o que haya sido usada por otro gato.
- También puede ser que usted haya limpiado la cubeta con algún detergente cuyo olor no resulte nada agradable para el gato.
- A veces el gato orina y defeca en una habitación por el simple hecho de que la puerta está cerrada y no puede ir a otro sitio a hacerlo.
- Muchos gatos se ensucian deliberadamente para protestar por algo, pero para descubrir exactamente cuál es la causa puede ser necesario hacer un verdadero trabajo de detective.

SOCIABILIDAD

La mayoría de los gatos necesitan un **compañero**, especialmente si viven siempre dentro de casa. Con los que mejor se llevan es con sus hermanos de camada. Los gatos adultos y los gatitos también pueden **acostumbrarse a vivir juntos**. Pero a un gato ya entrado en años es mejor no forzarlo a convivir con un pequeño «torbellino».

Garantía de bienestar para sus gatos

EJERCICIO MENTAL

No se limite a mantener a su gato en forma con juegos de caza y persecuciones; plantéele siempre nuevos **ejercicios de aprendizaje.** Por ejemplo, esconda golosinas en diversos tipos de envases, tales como cajitas de cartón, bolsitas de papel, etc., y deje que su minino descubra el modo de hincar el diente a esos sabrosos bocados.

SUCEDÁNEOS

Si su gato se empeña en dormir una siestecita junto a usted, pero usted va con prisas y no tiene tiempo para él, en la mayoría de los casos se dará por satisfecho si le ofrece un buen **sucedáneo:** un jersey viejo, colocado sobre el sofá, desprenderá un olor en el que el gato **confía.** En la mayoría de los casos se dará por satisfecho y se acostará encima.

CARICIAS

Jugar y retozar juntos es algo que refuerza mucho la **relación** entre el gato y su dueño. A los gatos les encanta que les **rasquen suavemente** bajo la barbilla. También les gusta que les apretemos suavemente las almohadillas de las patas con dos dedos. El **masaje** de orejas estimula las funciones de todo su organismo.

POSIBILIDAD DE ESCABULLIRSE

Un factor muy importante para el **bienestar** de los gatos es la posibilidad de disponer de un lugar en el que puedan esconderse y relajarse. Les gustan especialmente los lugares en alto y desde los que puedan gozar de una **buena panorámica.** Por tanto, coloque su nido o cesta por lo menos a un metro de altura sobre el suelo.

OCUPACIONES

Los gatos, y especialmente los que viven siempre dentro de casa, necesitan constantes **estímulos** tanto para el cuerpo como para la mente. Un árbol para trepar es un buen elemento para ejercitarse. Si le dejamos las puertas abiertas, sus merodeos por la casa le resultarán mucho más atractivos. **Los juegos de caza y persecuciones** con su dueño le mantienen en forma y le ayudan a eliminar una posible represión de su agresividad.

Nuestros 10 consejos básicos

MIRAR FIJAMENTE

Por muy agradable que sea fijarse en los hermosos ojos de un gato, será mejor que no lo haga. Para los gatos, **clavar la mirada** es una señal de intimidación. Si el gato se siente inseguro en su presencia, ayúdele a recobrar la **seguridad en sí mismo** cerrando brevemente los ojos o dirigiendo la mirada hacia otro sitio.

HORAS DE REPOSO

Los gatos duermen o dormitan durante gran parte del día y no les gusta ser molestados mientras echan una cabezadita. Respete las **necesidades de descanso** de su pequeño tigre doméstico. Un gato que se vea extraído súbitamente del más hermoso de sus sueños, casi siempre reacciona con **agresividad**. Más tarde volverá a ser tan manso y juguetón como siempre.

RUTINA COTIDIANA

A pesar de lo mucho que le gustan las novedades en la vida cotidiana, al gato le trastornan muchísimo los **cambios** en el entorno doméstico, en el mobiliario, en la familia o en la rutina de cada día. Por tanto, **dele de comer siempre a la misma hora** y procure no cambiar los horarios. Así le proporcionará una gran sensación de seguridad.

EL PUNTO DE VISTA DEL GATO

Intente ponerse en el lugar de su gato y procure ver el mundo con sus ojos. Esto le será más fácil cuanto más sepa acerca de las **pautas de comportamiento** de los gatos. Para poder tratar bien a un gato es imprescindible comprender y aceptar su forma de ser.

Indice alfabético

Los números de página expresados en **negrita** corresponden a las ilustraciones.
P = portadas

La autora

La Dra. Helga Hofmann estudió biología, química y pedagogía para luego especializarse en zoología y, concretamente, en el estudio del comportamiento animal (etología). Ha escrito diversos libros sobre gatos, así como sobre otros animales y temas relacionados con la naturaleza. Hace muchos años que ella y su familia comparten su casa con numerosos gatos.

La fotógrafo

Ulrike Schanz trabaja como diseñadora gráfica y fotógrafo independiente, y desde hace algunos años se ha especializado en la fotografía de animales. Ha realizado todas las fotografías de este libro, a excepción de la de la portada, que es de Juniors/Born.

A NUESTROS LECTORES

- Es necesario vacunar y desparasitar a los gatos para garantizar tanto su salud como la de las personas que conviven con ellos.
- Dado que algunas enfermedades y algunos parásitos son transmisibles al hombre, en caso de duda acuda siempre al veterinario. Especialmente si el animal le ha mordido.
- Las personas que tengan alergia al pelo de los gatos es necesario que consulten a su médico antes de adquirir uno de estos felinos.

Mi gato

Nombre: ______________________________

Tienda donde lo adquirí: ______________________________

Así le doy de comer:

____
____
____

Juegos y juguetes favoritos:

____
____
____

Así le gusta que lo cuiden:

____
____
____

Éstas son sus cosas:

____
____
____

Características propias:

____
____
____

Éste es su veterinario:

____
____
____

Título de la edición original: **Katzen sprache.**

Depósito Legal: B. 07688-2005.

ISBN: 84-255-1569-6.

IMPRESO EN ESPAÑA PRINTED IN SPAIN

LIMPERGRAF, S. L. - Mogoda, 29-31 (Pol. Ind. Can Salvatella) - 08210 Barberà del Vallès